O QUE APRENDI COM HAMLET

LEANDRO KARNAL

COM

VALDEREZ CARNEIRO DA SILVA

O QUE APRENDI COM HAMLET

PORQUE O MUNDO É UM TEATRO

LeYa

Direção editorial: Martha Ribas
Editor executivo: Rodrigo de Almeida
Gerência de produção: Maria Cristina Antonio Jeronimo
Produção editorial: Guilherme Vieira
Preparação: Bárbara Anaissi
Projeto gráfico e diagramação: Leandro Liporage
Revisão: Eduardo Carneiro
Capa: Sérgio Campante

Dados Internacionais de Catalogação na Publicação (CIP)
Angélica Ilacqua CRB-8/7057

K28q
Karnal, Leandro
O que aprendi com Hamlet / Leandro Karnal, Valderez Carneiro da Silva. – São Paulo: LeYa Brasil, 2018.

ISBN 978-85-441-0785-0

1. Filosofia. 2. Shakespeare, William, 1561-1616. 3. Hamlet. I. Título. II. Silva, Valderez Carneiro da.

CDU 108

Índices para catálogo sistemático:
1. Filosofia

LeYa Brasil é um selo editorial da empresa Casa dos Mundos.

CASA DOS MUNDOS PRODUÇÃO EDITORIAL E GAMES LTDA.
Rua Frei Caneca, 91 | Sala 11 – Consolação
01307-001 – São Paulo – SP
www.leyabrasil.com.br

Dedicatória *in memoriam*

O livro é dedicado à memória de Aldona Helena Kwasniewski Carneiro da Silva (1924-1996). Sua objetividade realista agradaria ao jovem Hamlet. Desejamos "que os anjos venham em coro lhe embalar o sono" (Ato V, Cena 2). O desejo é natural: ela foi um anjo zeloso para todos que a conheceram.

Versão citada:

Resolvemos usar a tradução de Anna Amélia de Queiroz Carneiro de Mendonça e Barbara Heliodora. *Hamlet* está no volume 1 (*Tragédias e comédias sombrias*) da Editora Nova Aguilar (1ª edição, São Paulo, 2016), entre as páginas 349 e 511. A versão original da tradução de Anna Amélia foi revisada e recebeu importantes acréscimos da filha, Barbara Heliodora. Sobre as demais edições, consulte o Anexo do livro.

Sumário

Quem vem lá? O mundo de Shakespeare e o meu

O que aprendi com Hamlet? A pergunta é vasta para elaborar resposta curta e objetiva. Nenhum outro livro marcou tanto a minha vida e provocou tantas reflexões ao longo dos anos. A cada volta da minha biografia, houve um aceno do príncipe melancólico da Dinamarca. Por vezes, ele me dizia: "Eu não avisei?" Em outras, apenas sorria, com seu sarcasmo distante. Houve ocasiões em que ele mesmo parecia o fantasma do pai a dizer coisas estranhas, entrecortadas de efeitos. Nada foi inútil. Caminhei em paralelo a Hamlet.

Naturalmente, os diálogos do texto com a biografia de cada um constituem uma outra obra, igualmente ficcional. William Shakespeare estranharia muitas das conclusões que você encontrará nas páginas seguintes. Uma vez escrita, a literatura é reapropriada de forma dialética com a intenção original do autor. Existiu William Shakespeare, existe o Eu que lê e existe um terceiro, algo não previsto por ambos, um Nós, aquilo que resulta da interação aleatória do curioso triângulo formado pelo ato da leitura. Minha interpretação precisa dialogar com o que está no texto, e Hamlet precisa ouvir a mim também para sair do papel-palco. Assim, entre o gênio que escreve e o homem comum que percorre a peça (eu) surge o novo, o meu Hamlet a partir do gesto dialógico que não me pertence porque não sou autor e que não pertence ao inglês porque Shakespeare não me viu. Somos sempre três e faz parte do mistério do pensamento a interação dos polos em questão. Como previa Edmund Wilson, crítico norte-americano, nunca dois leitores leram o mesmo livro. O seu *Hamlet* nunca será o meu, e isso é absolutamente maravilhoso.

Alberto Manguel, escritor e ensaísta argentino, falou de três tipos de leitor: o viajante, a torre e a traça. Minha apropriação do *Hamlet* envolve todas as possibilidades.

Somos viajantes porque, como no modelo da *Divina comédia*, o príncipe dinamarquês nos leva de um ponto a outro e nos transforma ao longo da jornada. Exemplo claro é o salto dos atos iniciais para os trechos finais, o amadurecimento do protagonista e de nós mesmos. O Hamlet que volta da viagem para a Inglaterra é outro.

O segundo modelo nasce da expressão do século XIX de Charles Sainte-Beuve: torre de marfim, um certo isolamento reflexivo. Nada mais hamletiano do que a introspecção dos monólogos, especialmente do "ser ou não ser". Não existe negatividade na expressão torre. Pelo contrário, existe apenas uma vontade de pensar melhor, o que implica pensar sozinho. É possível pensar em conjunto e o príncipe o faz com várias personagens. Há revelações de deserto, frases do olhar solitário, percepções únicas da honestidade de crítica de si e do mundo.

O terceiro modelo – a traça – é o leitor exageradamente diluído na obra, voraz mesmo, empanturrado, glutão de páginas, que se assume parte do texto como referente a si. É o caso grave de Madame Bovary ou do D. Quixote. Talvez seja o mais próximo do polo negativo. De alguma forma, *Hamlet* também o é e nos convida a sê-lo. Uma peça dentro da peça, uma loucura com livros, a definição estranha de literatura como "palavras, palavras, palavras" etc. Fácil viajar para a torre de marfim, difícil evitar o "leitor traça", o buraco negro do qual não escapa nem a luz da poesia.

A leitura bem-feita de uma obra densa é um exercício psicanalítico. Ler é uma viagem ao redor de si mesmo, tangenciando e questionando convicções, com perspectiva e afastamento. Conheço-me conhecendo o príncipe. Meus espaços são violentados e forçados para novas fronteiras. A maturidade decorre do diálogo entre a vida e as leituras ao longo da vida. Nada existiria se Hamlet não tivesse lido muito e sido um consumidor de textos de teatro e filosofia. Nada seria válido se ele não tivesse o contato com o mundo real da corte. Da mesma forma, minha vida, meus livros e minha consciência viajam ao longo das páginas da tragédia. Sou traça-torre-viajante a cada fala que ecoa em mim. Nem Hamlet é meu ventríloquo, e eu não consigo ser boneco inorgânico. Estou longe da autonomia de Hamlet, nunca terei o talento de Shakespeare, e ambos estão mortos no passado até que minha mão de menor quilate abra o texto e inicie o desafio. Orgulho de um menor diante dos maiores, como uma rêmora grudada a um veloz e imenso tubarão cumprindo funções definidoras de ambos.

Eis a minha posição para falar do que aprendi com Hamlet. Aprendi o que ele falou e ensinou, aprendi o que ele nunca imaginou ter dito e aprendi a ser o diálogo do gênio do passado com o cotidiano tosco e linear do meu presente. Se eu fosse um moralista clássico teria dito que aprendi humildade diante da consciência de Hamlet. Como o meu príncipe é maior do que todo meu fogo-fátuo pretensioso, imagino não o antídoto do orgulho, mas por qual motivo incorporamos humildade ao discurso ou a qual objetivo serve a exibição das plumas do meu pavão narcísico. Observo o observador, como Hamlet me ensinou. Tento não me diluir no momento e criar um mínimo de afastamento para não virar um Cláudio ou um Polônio. Por incrível que pareça, por vezes tenho de ser ainda mais consciente para não virar um Hamlet mesmo, que é a parte mais complicada para aprender com o melancólico nobre: evitá-lo. Hamlet ensina sendo e ensina evitando ser.

***

Esta não é uma obra erudita na qual cada eco do pentâmetro iâmbico é analisado – a cadência e a forma dos versos shakespearianos. O livro não trata das sutilezas históricas ou da passagem do *thou* para *you*. Aqui você não encontrará as muitas possibilidades de discutir a tradução de um termo obscuro ou alguma famosa passagem para a qual ninguém encontrou um sentido exato, como no Ato II: *beggars bodies and shadows*. Esta obra não foi concebida para somar aos quase 1.500 textos anuais dedicados ao poeta de Stratford em busca de explicações novas. Trata-se de um livro pessoal subjetivo que estabelece uma ponte inédita, algo nunca feito, não pelo brilho da nossa capacidade renovadora, antes pelo fato de dialogarmos conosco, com nossas vidas, com nosso aprendizado pessoal.

Das páginas seguintes não surgirá uma verdade bombástica sobre os pontos obscuros da biografia do bardo (sexualidade, religião, formação ou anos de aposentadoria). Não se descobrirá uma peça nova ou a verdadeira identidade do autor do *Hamlet*. Os especialistas pouco aproveitarão esta obra que não foi escrita para eruditos que já leram tudo. Penso nas pessoas que, como você e eu, como cada um de nós, atravessam a existência biográfica com a bengala de fontes de sabedoria como a Bíblia, Shakespeare ou citações esparsas. Imaginei um leitor ainda com certa fome, com vontade de saber a subjetividade de outro leitor. Suponho o caminho do peregrino apaixonado pelo que vê pela estrada, intrigado pelas pedras que o machucam, deslumbrado com matizes de luzes adiante e que conversa com tudo que lhe cai aos olhos, chega aos ouvidos, instiga seus olfato e tato e apetece ao paladar.

Shakespeare é o banquete dos sentidos e eu sou o convidado penetra que, sem ter condições de ombrear com o brilho do inglês e sequer com seus bardólatras de plantão, vem dizer apenas isto: aqui Hamlet me deu a mão e me ajudou, segurou a vela e iluminou minha vida comum. Acolá o dinamarquês evitou que eu tropeçasse ou consolou a dor da topada existencial.

O que eu aprendi com *Hamlet*? Muita coisa, da juventude até hoje. A jornada do livro é essa junção de algo maior com o menor, da literatura com a minha vida, do gênio com o senso cotidiano. Aos três leitores de Manguel ouso acrescentar um quarto: o leitor-ator, o que percorre os textos com a marca de cena de alguém maior, com o guarda-roupa de superiores e o livro na mão servindo de ponto a recordar as frases aos outros e a si. O leitor-ator é arte da peça como eu me fiz presente na corte de Elsinore, como também me apaixonei por Ofélia, frágil, bela e inteligente, como tive nojo de Cláudio, compaixão por Gertrudes, admiração por Horácio, irritação com Polônio e decepção pela subserviência hipócrita de Rosencrantz e Guildenstern. Todos viraram amigos e eu também fui percorrido por eles, inclusive com a advertência sobre os falsos amigos. Nós nos lemos e aprendemos juntos. Ao final, surge o resultado da aula permanente.

Temos de viver sempre. O itinerário é obrigatório até o fim. Hamlet é uma boa companhia para ele. Ele acharia tedioso como um discurso dos nobres aduladores a ideia de que seu modelo pudesse servir para alguém. Sua consciência ficou tão forte ao final, como previa Harold Bloom, famoso especialista na obra de Shakespeare, que não se importava mais nem consigo. Hamlet, *blasé*, diria que se você quiser aprender algo com ele que aprenda, tanto faz. Não era um cínico, mas alguém que sabia que todo aprendizado é subjetivo, passageiro, parcial e belo na sua brevidade sempre crepuscular. Também aprendi com Hamlet isto: a liberdade para nosso destino que não conhece essência, só existência. Só quem conseguiu dizer tudo pode encerrar com a ideia de silêncio. O resto é silêncio quando já conseguimos dizer a nós e ao mundo o que deve ser dito. Também aprendemos a calar com Hamlet.

Mas por enquanto vamos falar um pouco, ou convidar Hamlet para que fale conosco. Você tem em mãos uma peça na qual, de forma canhestra e sorrateira, atores fora do elenco ingressaram e receberam aplausos e vaias com os verdadeiros profissionais do tablado. Eis-nos, atores-leitores a nadar em piscinas preenchidas por outros maiores. Bem-vindo à jornada de aprender com quem mais tem a ensinar no teatro do mundo: William Shakespeare.

***

Sempre imaginei Shakespeare como um homem capaz de viver com certa liberdade num mundo de fronteiras rígidas. Livre a ponto de infringir, pular, ignorar ou adaptar regras sociais. Foi livre ao engravidar a namorada e casar, contrariando seu sério e circunspecto pai produtor de luvas. Foi livre para sair de Stratford e seguir uma carreira que até hoje causaria comentários na sua paróquia: ator? Teatro? Escritor? Livre em relação ao padrão social ao cultivar caso homoerótico com um nobre. Livre num mundo cada vez mais oficialmente anglicano e sua simpatia católica fluindo sob a epiderme. Livre para ser empresário e artista, combinação escassa até hoje. Infrator, boêmio, criador, marido ausente, pai distante, genial, erótico, crítico e, ao final de tantas e tantas reinvenções de si e do mundo ao redor, capaz de voltar rico à pequena cidade natal, comprar uma das maiores casas da região e morrer abastado, gordo e feliz frequentando a igreja na qual fora batizado e na qual seria enterrado.

William Shakespeare foi capaz de assumir a trajetória pacata e burguesa que seu pai, John, havia sonhado desde o começo e ele, tomado de furor criativo, talvez tenha pagado um imenso pedágio antes de voltar ao caminho esperado pela tradição. Sim, lá estava ele por volta de 1612 de braço dado com a esposa, olhando a filha e caminhando para a igreja, passeando pelo seu grande jardim da casa em direção às margens do rio Avon, como um clássico cidadão de bem da nascente Era Stuart. Nada o distinguiria do vendedor de móveis, do proprietário rural, daquele que nunca tivesse saído do belo e medíocre espaço que o gerara. Quem adivinharia, sob sua calva, as aventuras vividas na Londres da Rainha Virgem, suas personagens fervilhantes, seus sonetos intoxicados de lirismo denso e sua sabedoria? O escritor saiu do lugar-comum e, com tranquilidade, retornou ao *mainstream*.

O mundo era um palco, como ele previa em outra peça. Quem carrega o palco da sua consciência pode ou não ter público. O bardo fez um Hamlet que se bastava. Num mundo de *selfies* felizes, o que eu posso ouvir do príncipe? Parte da resposta está no livro que você tem diante dos olhos. Pegue seu casaco, faz frio nas muralhas úmidas do castelo. Não se assuste com os fantasmas, eles falam da maldade dos vivos e não do risco da morte. Houve um crime e somos todos suspeitos e cúmplices entre mares de setas, de justiça lenta, arrogância de poderosos e silêncio da maioria. Há corrupção na corte, falsidade, nem todos são o que parecem, alguns bebem demais e todos mentem. Estamos falando da Inglaterra, da Dinamarca ou do Brasil?

Somos feitos da mesma matéria dos sonhos que podem caber numa casca de noz. Sempre somos nós na noz. A luz de Shakespeare apenas foca nos pontos que desejaríamos esconder.

ATO I

O GOVERNO É FRUTO DA SOCIEDADE QUE É GOVERNADA

Estamos num castelo frio. Está na hora do revezamento dos guardas. Nas muralhas, dois soldados, Bernardo e Francisco, trocam seu turno. Tinham passado o início da noite vigiando. Elsinore podia ser invadida a qualquer momento, pois era uma cidade portuária muito importante na Dinamarca. Ficava num estreito de passagem obrigatória para todos os navios que quisessem atravessar do mar do Norte para o Báltico e vice-versa, cobrando impostos. Francisco, indo se recolher, encontra outro guarda, Marcelo, que vem vindo com Horácio a seu lado, um jovem estudado e experimentado na guerra. Começam uma conversa sobre algo que estava se tornando familiar, mas não o suficiente para deixar de ser mencionado: a aparição de um fantasma.

Bernardo relata como, em noites anteriores, tinha visto o espectro de um guerreiro, armado da cabeça aos pés, movendo-se nas cercanias da fortaleza próximo da mesma hora em que estavam. Seus companheiros o escutam algo incrédulos e excitados. Enquanto narra, o espírito aparece e Horácio decide instá-lo para que fale. A aparição some. Não aceita ordens. Os homens tremem. O mais culto diz que precisava ver para crer, como Tomé na Bíblia. Os três têm certeza de que era o espírito do velho rei Hamlet, morto havia dois meses, aproximadamente. Lembravam-se de sua expressão, sua valentia, como esmagara inimigos polacos na neve ou intimidara os noruegueses com o mesmo olhar que lhes oferecera.

Horácio retoma a palavra e narra a vitoriosa campanha do rei contra o velho Fortimbrás, o príncipe norueguês a quem subjugara e cobrara vassalagem. Havia a suspeita de que, diante da morte do rei e da subida ao trono de seu irmão, Cláudio, Fortimbrás tentasse retomar o ataque a Elsinore, revertendo a situação que havia sido imposta a seu pai. Talvez por isso o espírito do velho monarca estivesse vestido como guerreiro.

O fantasma retorna. Mais uma vez Horácio insiste que ele fale, mas o galo canta e o espectro parece sumir outra vez. Marcelo ataca-o com a alabarda, mas nada adianta. Ele realmente se foi. Os três terminam a guarda da noite certos de que precisam comunicar tudo o que viram ao jovem príncipe Hamlet. Dão como certo que o espírito falaria com o filho.

Encerra-se o primeiro ato do mais longo texto de Shakespeare. Se estivéssemos na Inglaterra elisabetana, teríamos assistido extasiados aos primeiros minutos de uma peça que se tornaria extremamente popular ainda em seus dias. Faltariam quase quatro horas para que saíssemos de nossos lugares, quando a ação finalmente se encerrasse no palco.

Apenas nessas poucas páginas, um universo de questões se abre. Muitas delas são históricas e fazem sentido de uma forma, no fim do século XVI, e de outra, muito distinta, nos dias de hoje. Uma delas é a crença em fantasmas e aparições. Havia, no tempo de Shakespeare, uma longa discussão sobre espectros e fantasmagorias – afinal, acreditar nesses espíritos era algo que datava dos antigos gregos, passou pelos romanos e por toda a Idade Média, período em que ideias bárbaras e cristãs se fundiram robustamente. No geral, acreditava-se que os espíritos ou eram emanações diabólicas, vindas por ordem infernal para constranger, confundir ou atormentar os vivos, desviando-os do caminho da salvação; ou seriam manifestações permitidas por uma ordem divina, talvez até como arautos de Deus a anunciar ações e eventos que podiam se desenrolar caso os vivos não agissem conforme os desígnios bíblicos.

A rigor, se estivermos atentos às Escrituras, os mortos não deveriam voltar de seus túmulos, malgrado Saul tenha conversado com o espírito de Samuel. Logo, não pode, mas acontece. Raríssimo o evento, mas possível. Biblicamente é mais comum vermos anjos conversando. Ainda assim, pensemos como Walter Benjamin, e leiamos as evidências a contrapelo: se as pessoas no tempo de Shakespeare discutiam e publicavam sobre fantasmas era porque neles acreditavam. Viam a possibilidade real de sua existência, ainda que fossem eflúvios infernais e, portanto, manifestações do engodo e não de um parente morto.

Outra coisa a se pensar é o recurso teatral do fantasma, também presente desde a herança clássica. O bardo inovou, sem dúvida, quando conferiu ao espectro de Hamlet sua fisionomia enquanto vivo, vestindo-o com armadura completa. Em peças anteriores que tinham recorrido ao artifício de fantasmas, eles eram mais amorfos, etéreos. Aqui, na peça que Shakespeare mais demorou para terminar, ele aparece humanizado.

Em nossos dias, se dissermos a alguém que vimos um espectro, temos que estar certos de que a audiência é conhecida e partilhe a mesma crença. Explico: vivemos num mundo mais desencantado. A maioria de nós ainda acredita em forças de um deus ou deuses invisíveis a guiar nossas existências. Cremos, sem a menor dúvida, que esta vida é um período de provação e que a existência sem dor e sem percalços está num plano metafísico, acessível apenas após a morte. Malgrado acreditarmos majoritariamente nisso, luz elétrica, medicamentos modernos e explicações mais racionais para fenômenos naturais, como o fogo-fátuo, afastaram de nós os fantasmas.

É muito comum encontrarmos alguém que recebeu uma visita de um morto em sonhos. Paul McCartney reiteradas vezes explicou que o clássico "Let It Be", dos Beatles, surgiu de um sonho com sua mãe, morta mais de uma década antes. A história que o músico conta tem enredo que se repete em narrativas similares: ele vivia um período conturbado, adormeceu, a mãe veio a ele em sonho e lhe disse que tudo iria ficar bem, que ele precisava apenas dar tempo ao tempo, "*let it be*" (deixe estar). Acordou, certo de que fora um sonho reconfortante, sentou-se ao piano e compôs a música.

Em outras palavras, mesmo quando sonhamos com entes que já se foram, cremos que se tratou de um sonho, de uma busca inconsciente de conforto, consolo. Não quero, de forma alguma, menosprezar a fé que codificou a conversa com o mundo espiritual. O kardecismo e outros credos espiritualistas surgiram no século XIX e início do XX. Amalgamavam ciência, mesas girantes, avanços nos meios de comunicação (como o rádio) e períodos em que o luto virou regra na Europa, como na Primeira Guerra Mundial. Nessas décadas, muita gente viu fantasmas ou ganhou dinheiro vendo fantasmas para os que não conseguiam vê-los. Fora desses meios, é complicado acreditarmos em histórias fantasmagóricas, ainda que um arrepio suba por nossa espinha ao escutarmos boas versões de supostas aparições, ou acompanharmos, no cinema, com uma câmera que filma a personagem pelas costas, um espectro se aproximar.

É forçoso nos dias atuais o recurso teatral do fantasma, e talvez, depois de Ebenezer Scrooge, do *Conto de Natal*, de Charles Dickens, a tópica tenha ficado demasiadamente gasta. Para quem apenas acha que não sabe quem é Scrooge, basta puxar na mente o Tio Patinhas e a versão Disney para Dickens. Aos mais jovens, o cinema hollywoodiano recria a história ano sim, ano não. Alguém ainda não se lembrou do avarento que recebe a visita de três fantasmas, o do Natal passado, presente e futuro, e, diante do espelho que lhe é mostrado, muda seu comportamento e passa a valorizar família e boas ações mais do que o dinheiro? Dickens é acima da média, mas Shakespeare ultrapassa o conto moral com o fantasma de Hamlet. Mas, a essa altura da peça, ainda não sabemos o que ele quer e a que veio. Voltemos à trama e a uma lição que aprendi.

Fraqueza, teu nome é mulher!

No interior do castelo real, vemos Cláudio, o rei, lamentar a morte do irmão. Discute questões de Estado com sua corte e, na presença da rainha, em especial, mostra-se preocupado com as notícias de que Fortimbrás está se rearmando. Gertrudes havia sido casada com o rei guerreiro Hamlet e tem um filho com o mesmo nome do pai. Não o conhecemos ainda, mas é o filho e não o pai quem dá nome à peça. Ela se casara com o cunhado, algo delicado na história Tudor e um tabu judaico-cristão. A Bíblia manda duas mensagens sobre deitar-se com cunhadas.

Se seu irmão for vivo, trata-se de imundície e não haverá filhos dessa união (Lev. 20,21). Se o irmão tiver morrido sem deixar herdeiros, pelo contrário, é dever de cunhado assumir a esposa do defunto e dar ao primeiro filho o nome do falecido, garantindo-lhe descendência (isso pode ser lido como ordem em Deut. 25,5).

A dinastia Tudor praticamente começou com um caso análogo. Henrique VII, rei vencedor da Guerra das Duas Rosas, casara seu filho Artur com a mais jovem filha dos poderosos reis católicos de Espanha, Catarina. Fora prometido a ela aos 11 anos, como uma forma de selar uma aliança ibero-inglesa contra a França. Casou-se aos 15 anos e morreu seis meses depois. Ele tinha 16 anos e a viúva, 17. O casamento talvez nunca tenha se consumado, ao menos foi o que ela jurou a vida toda.

Seis anos depois, novo casamento entre a cunhada e Henrique, irmão mais novo de Artur, foi arranjado. O direito canônico não anula casamentos facilmente e havia duas questões a serem resolvidas para as bodas de Henrique e Catarina. A primeira era a interpretação sobre se era legítimo ou uma maldição casar-se com a cunhada. Se fosse amaldiçoado, a união não geraria herdeiros e isso comprometeria a linha sucessória inglesa, após tão frágil trégua que tinha recentemente catapultado os Tudor ao trono. A segunda era se o casamento tinha sido consumado ou não. Uniões carnalmente consumadas são praticamente indissolúveis pelo direito canônico atual, que dirá no século XVI. A Bíblia era clara de que um laço feito e consumado não poderia ser desfeito. A união real exigiu dispensa papal, conseguida a duras penas, muito dinheiro e alguma política.

Catarina engravidou seis vezes de Henrique. Sofreu abortos e teve filhos que morreram ainda com poucos dias ou semanas.

Apenas uma menina, Maria, sobreviveu à infância e chegou à vida adulta. Nada de incomum para a época. Pelas leis inglesas, a sucessão estava assegurada, pois era permitido a uma mulher assumir o governo, mas isso nunca tinha acontecido e não era nada desejável. Mulheres eram vistas como o sexo frágil e a visão sobre elas era regida por meio de uma dualidade. Deviam se inspirar no modelo de Maria, serem boas mães, castas. Mas o modelo mariano era inatingível, pois ela era mãe de Deus, uma mulher especial e não como as outras. Logo, toda mulher era pecadora por princípio e, sendo assim, assumia o estigma de Eva. Era vista como agente de Satã. De moral e constituição frágeis, as mulheres sucumbiam às mentiras do Diabo e agiam em seu nome. Cortesãs, prostitutas, feiticeiras, bruxas... eram vários papéis para um mesmo ideal feminino.

A história dos Tudor é tudo menos monótona. Quando Catarina atingiu 42 anos e "secou", Henrique sentiu-se temeroso em confiar a sucessão do trono a uma menina, embora haja farta documentação de que a tinha em alta estima e gabava-se de ela falar vários idiomas e ser mais inteligente e loquaz que a maior parte de seus cortesãos e embaixadores. O rei passou a buscar a anulação do matrimônio. O senso comum construiu a ideia de um monarca sexualmente descontrolado, tarado. Ou ainda, de forma mais romântica, a de que se apaixonou loucamente por Ana Bolena e queria se casar com ela. Ainda que fosse o primeiro caso, a realidade mostra como Henrique teve muitas amantes e era pai do duque de Richmond, um de seus bastardos. Não era necessário descasar-se para ter amantes. Se fosse o segundo caso, a paixão por outra mulher, também me parece pouco plausível que não pudesse vivê-la casado. O casamento, especialmente em famílias de elite, era um acordo político para gerar sucessão. Filhos legítimos dentro de casamentos legítimos. Amor e paixão, desejo ou compulsão sexual, tudo era possível, mas ninguém em sã consciência romperia com a tia de Carlos V (ele um desafeto de Henrique) por mero capricho. Era risco demais.

Anular esse casamento era outra aventura na corte papal. Clemente VII era inimigo político do monarca espanhol, e isso parecia ajudar. Mas, lembremos, o casamento só se dera, em primeiro lugar, porque o antecessor de Clemente, Júlio II, aceitou que ele ocorresse. Anular o matrimônio era terreno pantanoso, pois envolvia a ideia da autoridade papal. Dissolvido o casamento sob alegações de violação do Levítico, no pleito inglês, o papa anterior teria falhado na sua leitura das Escrituras. Se um papa falha, todos podiam falhar. Isso dava crédito a Lutero, que vinha dizendo coisas dessa natureza há anos. O jogo político logo azedou ainda mais para Henrique, pois o rei espanhol vencera Francisco I, da França, protetor do papa Clemente, deixando o pontífice em situação delicada.

Contra tudo e todos, apoiado por parte de sua corte e de seu clero, Henrique VIII decretou o "Ato de Supremacia", em 3 de novembro de 1534. O documento não alterava a doutrina romana, mas substituía sua cabeça: não mais o papa gerenciaria o clero inglês, mas o rei seria o chefe da Igreja da Inglaterra. Na sequência, divorciou-se de Catarina e casou-se com Ana Bolena. Sua filha, Maria Tudor, foi declarada bastarda. A rainha a quem Shakespeare deveria obedecer e servir era fruto dessa união, nunca plenamente aceita pelos ingleses. Uma história cheia de mulheres, um reino chefiado por uma mulher, e tudo começou com um casamento entre cunhados.

Esta é nossa deixa. Voltemos juntos à peça exatamente onde a deixamos.

Cláudio acabara de despachar emissários à corte norueguesa para se certificar dos acordos feitos por seu irmão, quando se dirige ao jovem Laertes, filho do cortesão Polônio, que chegara da França para afirmar lealdade ao novo monarca. Por fim, fala, pela primeira vez, ao príncipe Hamlet. Quando se dirige a ele, o faz, aparentemente com carinho, dizendo "meu sobrinho, meu filho". A resposta, primeira frase do protagonista na peça, é amarga, rancorosa: "quase da mesma cepa, não do mesmo corpo". Nitidamente, Hamlet não quer se sentir filho do rei. Há muita amargura na afirmação. Ele está todo vestido de preto, em luto pela morte do pai. Nesse momento, sua mãe se dirige a ele, pede que aceite o rei como novo pai, pois o tempo do velho rei passara, como é da natureza que tudo passe. Não seria mais necessário o luto, mas a busca por uma nova vida. Hamlet é irônico com a mãe dizendo que, de fato, tudo era muito normal. Sentindo a ambivalência na voz do filho, Gertrudes retruca perguntando por que a ele parecia anormal. Pela primeira vez, Hamlet aborda a lógica da essência e da aparência, tão cara à peça como um todo. Ele afirma que nada entendia de parecer, que era mais do que encenação, que seu luto devia, sim, passar, e que seu choro, traje e comportamento talvez fossem apenas cena. O que ele dizia? Que apenas encenava o luto ou que encenava a fala para poder permanecer no luto, este, sim, sua realidade?

O rei o dissuade de voltar a Wittenberg, onde provavelmente conhecera Horácio, e que deveria ficar no reino e vê-lo como pai, que o contrário seria antinatural, símbolo de falta de fibra, de fraqueza. Quando o casal real se retira, Hamlet faz seu primeiro monólogo. Fala sobre desejos suicidas, como acha que tudo a sua volta é corrupção e podridão. Quando deixa claro a que se refere, fala da mãe: como ela pode deixar-se seduzir pelo tio em tão pouco tempo depois da morte do pai? É taxativo em dizer que ela dividia um leito incestuoso com Cláudio. Nesse texto, solta a frase lapidar: "Fraqueza/Fragilidade, teu nome é mulher!" Gertrudes e, mais à frente, Ofélia entraram para a memória tradicional como exemplos de mulheres em seu pior: volúveis, manipuláveis, frágeis, egoístas, calculistas. A misoginia é, de longe, o mais antigo e estrutural de todos os preconceitos. Analisemos a misoginia hamletiana, começando pelo que pensa de sua mãe. Gertrudes foi retratada como uma escrava da paixão, ao menos nesse início do primeiro ato. Mais à frente no texto, Hamlet recebe o fantasma do pai no quarto de sua mãe, enquanto a confronta sobre suas escolhas.

Naquele momento, o príncipe fala da paixão da rainha como virtude, quando desposou seu pai. Se o filho lembrou que o marido anterior era muito zeloso com ela (cena do quarto) e que era, também, bonito e forte (modelo de um Hércules), devemos supor que os outros percebiam um enlevo romântico e sexual de cuidados e desejos no primeiro casamento da rainha. Gertrudes era virtuosa quando se entregou ao primeiro marido e uma devassa quando fez o mesmo com o segundo? Para Hamlet, sim, pois para ele a inconstância é própria do feminino. A frase azeda apenas indica duas coisas: misoginia e a dor edípica do filho e não algum traço do caráter de Gertrudes, como quis boa parte da tradição. Em outras circunstâncias, a rainha poderia ser descrita como uma mulher com objetivos claros e que se entregava ao que queria. Não seriam esses os atributos louvados em Eleonor de Aquitânia, a mulher que conseguiu, com muitos recursos, ser esposa de dois reis e concentrar um poder único na Idade Média? Ao se entregar à Inglaterra e se tornar a primeira rainha a ocupar um papel masculino de reinar e governar (*to reign and to rule*).

Até entendo Hamlet dizer que fragilidade tem por nome mulher. Mas ele está errado. Toda misoginia nasce da fragilidade masculina.

A segunda cena termina com Horácio, Bernardo e Marcelo contando a Hamlet sobre o fantasma do pai. Ele quer saber detalhes, feições do espectro, se seu semblante era de raiva ou pesar. Ouve tudo com atenção. Combinam que, naquela noite, ele visitaria o local das aparições e tentaria contato com o espírito.

Há algo de podre no Estado da Dinamarca

A terceira cena do primeiro ato tem duas particularidades do ponto de vista dramático. A primeira delas é que tomamos contato com um núcleo familiar muito importante para o enredo da peça. A segunda é um recurso comum ao teatro (e depois ao romance, ao rádio e ao cinema): uma trama secundária que corre a peça.

A família em questão é composta por Polônio, o pai, e seus filhos Laertes e Ofélia. Polônio é um cortesão com certa influência sobre o rei e a rainha. Consegue isso com estratagemas baratos e adulação farta. Suas recompensas: cargos e benesses. Nossa sensibilidade republicana pode se ofender diante de tipos assim, embora as empresas, repartições públicas e famílias estejam lotadas de Polônios. Polônio é mais comum à plateia de Shakespeare do que podemos supor. Era esperado por ela e não causaria horrores por sua habilidade em se mover na corte. Na verdade, a personagem também é responsável por passagens cômicas e tiradas mordazes.

Na cena, ele entra no meio de uma conversa entre Laertes, seu varão, e Ofélia, que, ficamos sabendo, andou sendo cortejada pelo príncipe Hamlet. Laertes está se despedindo dela, prestes a embarcar de volta para a França. O carinho entre ambos é claro. Cuidam um do outro e aconselham-se. Boa parte dos recados fraternais foca o cuidado para não se entregar demais à paixão. Hamlet era um príncipe e, "sendo ele um grande, não lhe pertence a vontade, pois ele está sujeito ao próprio nascimento", diz Laertes. Ou seja, Hamlet, o jovem, podia até estar realmente enamorado de Ofélia, mas isso não queria dizer que pudessem contrair núpcias tão facilmente, afinal ele deveria se casar pensando na linhagem de reis, e ela era uma cortesã de nobreza menor. As bodas não eram impossíveis, mas improváveis. Logo, entregar-lhe a inocência poderia pôr em risco o bom nome da família à toa. A escolha de Hamlet, completa o irmão, "afeta o equilíbrio e a saúde deste Estado inteiro".

Aqui temos uma chave para o livro e para o que aprendi com ele: o Estado e o governo que o timoneia são fruto da sociedade que é governada. Voltaremos a isso daqui a pouco. Por ora, sejamos atentos ao sentido histórico da passagem. De fato, as monarquias nacionais do início da modernidade eram praticamente propriedade de família. As pessoas não eram inglesas ou dinamarquesas por filiação patriótica, solo de nascimento ou fantasia de hinos e bandeiras, ou ainda porque regidas por uma mesma Constituição, usando moeda e língua comuns. Um povo devia lealdade a seu monarca antes que a sua pátria. *O Estado sou eu*, frase talvez nunca dita, mas atribuída a Luís XIV, sintetiza essa ideia. Se o exemplo é duvidoso, vamos a um indiscutível: quando o rei de Portugal, d. Sebastião, foi dado como morto na Batalha de Alcácer-Quibir, em 1578, o reino se viu acéfalo. Dois anos depois, sem herdeiros e sem regente, foi parcialmente engolido na União Ibérica: Portugal, por sessenta anos, foi governado pela Espanha, e suas leis eram emitidas em nome de Filipe II e sucessores. Ou seja, linhagem, hoje um assunto de família (quatrocentona), era assunto de Estado.

Ofélia devolve os conselhos ao irmão quando Polônio os interrompe e começa a aconselhar o filho. Embora a tragédia *Hamlet*, de William Shakespeare, tenha vários momentos de considerações de cunho moral, esta cena do conselheiro do rei despedindo-se de seu filho tem bênçãos que mais parecem uma série de preceitos práticos plenos de sabedoria. A julgar pelo que Polônio expressa, pensaríamos de imediato que ele, um homem amadurecido pela passagem dos anos, teria, de fato, aprendido a viver e estaria capacitado para transmitir lições memoráveis. Vejamos:

Ainda aqui, Laertes! Corre a bordo!
O vento sopra as velas do teu barco,
E tu ficas. Recebe a minha bênção!
Guarda estes poucos lemas na memória:
Sê forte. Não dês língua a toda ideia,
Nem forma ao pensamento descabido;
Sê afável, mas sem vulgaridade.
Os amigos que tens por verdadeiros,
Agarra-os a tu'alma em fios de aço;
Mas não procures distração ou festa
Com qualquer camarada sem critério.
Evita entrar em brigas; mas se entrares,
Aguenta firme, a fim que outros te temam.
Presta a todos ouvido, mas a poucos
A palavra: ouve a todos a censura
Mas reserva o teu próprio julgamento.
Veste de acordo com tua bolsa.
Porém sê rico sem ostentação,

Pois o ornamento às vezes mostra o homem.
Que em França os de mais alta sociedade
São seletos e justos nesse ponto.
Não sejas usurário nem pedinte:
Emprestando há o perigo de perderes
O dinheiro e o amigo; e se o pedires,
Esquecerás as normas da poupança.
Sobretudo sê fiel e verdadeiro
Contigo mesmo; e como a noite ao dia,
Seguir-se-á que a ninguém serás falso. (Ato I, Cena 3)

Não sabemos o que Laertes teria pensado. Como filho respeitoso, agradeceu e partiu. Será que a vida de Polônio era um espelho cristalino? Como Lear, envelheceu sem conhecer a sabedoria e sem, de fato, poder oferecer aos filhos orientação respaldada pelo exemplo genuíno.

Nós, leitores, sabemos que faltava ao tolo homem discernimento, probidade, humildade, freio na língua, bom senso e empatia autêntica em relação ao próximo. Ele era o protótipo daquele que diz: faça o que eu falo, mas não o que eu faço. Não confiava na educação dada aos filhos, no subconsciente deveria saber que não era padrão ideal a ser seguido. Prova é que mal Laertes deu-lhe as costas, enviou à França seu criado Reinaldo para espionar o filho e relatar-lhe depois o que havia apurado. Este tinha ordens expressas de inventar mentiras, ludibriar o interlocutor com supostas acusações a Laertes a fim de descobrir a verdade. Enfim, *grosso modo*, jogar verde para colher maduro.

Muito bom, muito bom. Veja, senhor,
Se me pode indagar que conterrâneos

Há em Paris, e como e com que meios
Vivem eles; e o gasto e as companhias.
Procure, com rodeios e cuidados,
Saber se eles conhecem meu filho;
Se conhecerem, pode ir mais longe,
Interrogando mais diretamente.
Finja que o conhece de longe e pouco;
Diga: conheço o pai e seus amigos.
Ele bem pouco; ouviu-me bem, Reinaldo?
....
Ele bem pouco. Não conheço bem;
Mas se é quem penso, é um rapaz estranho,
Desregrado e vadio: pode pôr-lhe
As invenções que ocorram; não tão graves
Que o possam desonrar – cuidado nisso –
Mas, senhor, esses vícios e defeitos
Que são os companheiros mais frequentes
Da juventude livre.
....
Sim, como o jogo, a bebida, a vadiagem,
As brigas, os caprichos, as mulheres
....
Dirá talvez que o viu entrar na casa
De uma mulher, ou antes, num bordel.
Ou coisa assim. Veja como a isca
Da mentira pescou toda a verdade. (Ato II, Cena 1)

Por que Polônio tem tantas dúvidas a respeito de Laertes? Seria o jovem cortesão indigno de confiança? Pelo que podemos depreender das atitudes de Laertes, ele quer voltar sem demora para a França para agir com liberdade longe do olhar paterno, fruir a vida que sua posição lhe outorga. É de caráter impetuoso, pensa pouco antes de agir. Estudar, sim, mas aproveitar a juventude, quem sabe ter as "namoradas-amantes" que seu bolso lhe possibilitar. Com certeza, Laertes é um homem de sua época e... deve ser um retrato de Polônio quando jovem.

Polônio é ardiloso, experimentado nas intrigas da corte. O camareiro real goza da confiança do astuto Cláudio e deve ter sido conivente com os amores de Gertrudes e seu cunhado, talvez mesmo quando eram proibidos, ou seja, mesmo antes da morte do velho Hamlet, se considerarmos os antecedentes da história registrada no melodrama levado aos palcos londrinos por Thomas Kyd (texto desaparecido) no final do século XVI. Kyd teria baseado sua versão numa lenda conhecida na França como *Histoires tragiques*, de 1570, autoria de Belleforest, que por sua vez teria colhido o material na *Historia Danica*, de Saxo Grammaticus, historiador do século XII. A impressão dessa história datava de 1514. Polônio é um aliado útil para Cláudio e Gertrudes e tem noção exata de seu papel na corte da Dinamarca. Ele não é movido por ideais, visa a seus próprios interesses e sabe muito bem como armar ratoeiras. Aliás, Hamlet, príncipe da Dinamarca, tem várias ratoeiras, não apenas a peça *A ratoeira*, dentro da peça. Polônio está a todo momento envolvido em estabelecer arapucas. Sua própria filha, Ofélia, serve de isca para que ele, juntamente com Cláudio, tente descobrir a verdade por trás da loucura de Hamlet. Ao tomar conhecimento dos amores entre Hamlet e Ofélia, ele ordena à jovem que se afaste do príncipe alegando que ela não pode confiar em tais afetos.

Quando Laertes se despede, Polônio passa a conversar com a jovem. No fundo, o assunto era o mesmo: o amor declarado pelo jovem Hamlet em cartas e conversas. Mas o tom das preocupações paternais é radicalmente distinto. Ele quer que Ofélia dificulte a vida do príncipe, resista a suas investidas, mas não o faça perder as esperanças. "Valorize o produto antes de vendê-lo, mas não perca jamais esse cliente", parece uma forma de resumir os interesses do pai. Quer usá-la para subir na escada da corte, entrar para o clube real, garantindo o matrimônio de ambos. Se Laertes se preocupava com a irmã, o pai parece se preocupar com sua posição nos jogos de poder. A corrupção estava na família, mas a honra do pai e sua posição na corte dependiam da virgindade da filha e sua habilidade de negociá-la apenas se resultasse em bom casamento. Como dissemos anteriormente, o falastrão camareiro real pode ter todos os defeitos do mundo, porém, tanto nos conselhos dados ao filho Laertes quanto nas exigências esperadas da filha, ele demonstrou bom senso e afeto. Se o filho na França tivesse um comportamento exemplar, somente teria a lucrar. Quanto à filha, Ofélia, Polônio sabe que a jovem é inexperiente, crédula e deve estar apaixonada pelo príncipe. Ora, para o pai, acostumado a armar ciladas, Hamlet tem todas as condições de apanhar a avezinha ingênua em sua armadilha: ele é inteligente, tem lábia e a conquista não lhe traria consequências, uma vez que é o herdeiro do trono da Dinamarca. Ofélia não é nobre. Se Hamlet conhecê-la biblicamente, a jovem terá perdido seu talismã mais valioso: a virgindade. Depois, adeus a um casamento com alguém de alta estirpe. É claro que Polônio gostaria que a filha fosse a escolhida do príncipe, mas ele conhece a realidade e teme por ela. Ele precisa a todo custo preservar Ofélia. Quem o culparia?

Poderíamos também supor que Polônio, nos dois casos – isto é, a possível má conduta do filho no exterior e os amores entre

Ofélia e Hamlet – teria comprometida sua posição junto ao rei e à rainha. Ele receia perder o que conquistou, prestígio na corte. Novamente, quem o condenaria? Ele perdendo, os filhos perdem também. Paradoxalmente, o conselheiro real parece ter razão em suas preocupações paternas. Ofélia, por sua vez, contrariando provavelmente os anseios de seu coração, de imediato acata as ordens do pai. Ao contrário de Julieta, a ardente amorosa de Verona, que preferiu seguir em frente, ignorando pai e mãe e unir-se a Romeu, Ofélia entendeu que seu pai, Polônio, deveria saber melhor e obedeceu. Curiosamente, as duas jovens tiveram destinos semelhantes: a ousada desobedeceu e morreu, a tímida obedeceu e morreu. Em que falharam? Seriam as circunstâncias prevalentes mais fortes do que elas?

A cena muda e vamos ao encontro de Hamlet, Horácio e Marcelo, que, ao relento, no frio da noite, esperam a visita do espectro. O jovem príncipe escuta estampidos de canhão e, horrorizado, conta aos amigos que o rei mandou que eles fossem disparados cada vez que ele esvaziasse uma taça de vinho renano na festa, no "bate-coxa grotesco" que era cada vez mais cotidiano no interior do palácio. Que moralista barato, poderia pensar, não sem razão, o leitor e a leitora. Mas esse era outro indício de corrupção na lógica shakespeariana. Se a moral de uma pessoa pública estivesse corrompida, todo o reino estaria. A depravação, as festas, o exagero, o incesto; os pecados atribuídos à mãe; um pai que lidava com a castidade da filha em nome de seus próprios interesses; um morto que voltava para visitar os vivos, invertendo a ordem natural das coisas: tudo parecia indicar na direção da corrupção, da podridão. Cláudio era um rei corrupto. Não que estivesse a roubar algo do erário da Dinamarca, mas porque roubara a própria Dinamarca. "Uma gota de mal muitas vezes estraga a mais nobre substância e a torna infame." Os ingleses acreditavam, de fato, que os dinamarqueses eram beberrões excêntricos. Também tinham certeza de que a bebida corrompia o mais virtuoso dos homens, pois estava na base de um dos pecados capitais mais graves que possam existir: a gula. Juntando preconceito e crenças de sua época, o bardo nos inclina a pensar num reino decaindo rápido por conta de um rei corrupto.

Ao concluir esse raciocínio, o fantasma entra em cena mais uma vez. O filho tem dificuldades para reconhecer o pai, diz que o espectro se apresenta em forma ambígua, talvez duvidando se tratar de uma emanação positiva. Mas resolve chamá-lo de pai e fica ansioso para que ele fale, revele algo. O espírito acena e chama Hamlet para longe. Marcelo reconhece majestade no gesto, mas teme e pede que o príncipe não o siga. Horácio, um grilo falante na peça, uma consciência extracorpórea de Hamlet, insinua que, se for um mau espírito, ele pode enlouquecer o companheiro. Nada detém o príncipe, que parte para junto do espectro do pai, desvencilhando-se dos amigos. Eles resolvem segui-lo, por precaução, sem se deixar serem vistos. Antes de irem, no fim da cena, Marcelo diz uma das linhas mais conhecidas da peça: "Há algo de podre no Reino da Dinamarca." Não nos resta mais dúvida disso, embora não saibamos exatamente de que se trata. A política – e esse é o tema central da peça – é a junção da vida íntima das famílias e suas práticas públicas e decisões de Estado. Com Cláudio no poder, na prática, Hamlet parecia ver mais Maquiavel que Aristóteles, o jogo de exercício do poder, das veleidades e vaidades de um homem moralmente condenável, jamais o jogo do bem comum, da felicidade ou da administração pública. A política de Cláudio não surge no mundo para promover a felicidade das pessoas ou para melhorar Elsinore. A política parece surgir no mundo para que grupos possam se apropriar de recursos, proteger pessoas, dar vantagens a aliados e formar um cerco que os blindasse enquanto desviam moral e politicamente o reino usurpado.

Se a peça fosse apenas os primeiros atos, seria um texto bom, mas apenas moralista. Um moralismo barato e confortável. Eles roubaram o reino, o príncipe virá a cavalo, escutando os conselhos do fantasma do pai, restaurar o alvo manto que uma vez cobrira a Dinamarca. Não quero parecer um estraga-prazeres a quem não leu a peça antes de ler este livro (aliás, um grosso engano – sempre prefira os clássicos!), mas Shakespeare não se tornou um dos maiores nomes da literatura mundial porque escreveu obviedades que agradavam e poupavam sua plateia. Eu seguirei o bardo e não escreverei o que você gostaria de ler, mas o que aprendi. O leitor e a leitora adorariam se identificar com um Hamlet de moral cândida. Poderiam se sentir lisonjeados ao pensar que nós somos, todos, profundamente honestos, probos, pessoas experimentadas na ética. Somos Hamlet suspeitando da corrupção alheia, mas sentindo-se imune e não conspurcado por ela. Não há um rei Cláudio mau, que eliminado tornaria possível a parusia e a Jerusalém celeste. Cláudio é o governo, o Estado, a Dinamarca que está em jogo, ou é um comportamento social do qual também faz parte? Supor o contrário é imaginar que o problema do nazismo foi Hitler mais do que Von Papen, a elite nazista e os milhões de alemães que, em silêncio, coadunaram e elegeram a maioria no Parlamento que votou as Leis de Nuremberg, mais do que os milhares que se apossaram dos bens de judeus e ciganos porque levaram vantagem pela cor da pele ou por terem ligações com o poder. Supor que o problema era apenas Hitler é o que já chamei de culto da corrupção isolada. E o que vale para Cláudio, vale para Hitler ou um engravatado criminoso tupiniquim qualquer.

Marcelo anuncia o que está na mente de Hamlet: há algo de podre no Reino da Dinamarca. A partir disso, Hamlet investigará as mazelas no seio da própria família. A consciência hamletiana tem paralelo com a atual democracia, com a consciência do que somos. E esse espelho é desagradável. A corrupção é um mal endêmico e é mais grave porque dialoga com a tolerância ética das instituições e com a nossa. Governos corruptos estão inseridos em práticas sociais que reforçam os comportamentos de desvio. Todos os países possuem corruptos e não existe uma sociedade formada apenas de anjos impolutos. Já houve quem apontasse o catolicismo como uma concepção de mundo tolerante com o desvio; mas a Rússia ortodoxa, a Índia, de maioria hindu, e países da península Arábica de maioria islâmica são notavelmente corruptos. Nos Estados Unidos protestantes, a crise de 2008 foi causada por uma imensa corrupção no sistema financeiro com aval do poder público. Da mesma forma, a China, país de múltiplas tradições religiosas, é bastante corrupta. Logo, o desvio não está na religião.

Combatê-la, tirar Cláudio do poder, é dever, claro. Mas fosse apenas isso, seria ótimo e Hamlet seria uma peça qualquer do início do século XVII. Shakespeare teria morrido pobre e esquecido. Na Itália, a Operação Mãos Limpas envolveu muita gente, entre juízes, poder público, polícia. Ao final dessa lavagem estrutural surgiu a eleição de Silvio Berlusconi, modelo de tudo aquilo que a Operação Mãos Limpas combatia. Então, como Hamlet aprenderá ao longo do texto, sou obrigado a uma certa melancolia prudente. Os seres humanos têm uma capacidade infinita de progresso e uma capacidade de autossabotagem quase épica. Citando João Pereira Coutinho, escritor e cientista político português, não é função do governo promover o paraíso, mas impedir o inferno. Logo, remover Cláudio (desejo de Hamlet antes mesmo de conversar com o fantasma do pai) não fará a Dinamarca atingir paraíso algum. Todo Estado tem algo de podre e quem tem a sensibilidade semelhante à de Hamlet, cedo ou tarde, se rebelará. Mas a que levará essa rebelião? Pode-se enganar a poucos por algum tempo; enganar muitos por muito tempo, mas jamais alguém conseguirá enganar a todos por todo o tempo, ideia ligada ao presidente Abraham Lincoln. Talvez Hamlet tenha enganado a si mesmo por mais tempo do que gostaríamos de admitir. Sigamos.

Adeus, adeus, adeus. E lembra-te de mim

O primeiro ato está terminando. Na quinta e última cena, duas ações, basicamente. De início, Hamlet pai e filho estão reunidos num improvável encontro de alma penada e vivo. O fantasma revela finalmente a que veio: precisa que o filho se comprometa a vingá-lo. Todos acreditavam que morrera picado por uma cobra enquanto dormia nos jardins reais, mas a serpente que o picara agora usava a coroa de rei. O príncipe, de alguma forma, já sabia ou suspeitava fortemente disso. Agora, se aquele fosse mesmo o pai dele, tinha certeza: o rei fora envenenado. Dormia quando seu próprio irmão derramou veneno em seu ouvido. Seu sangue corrompera e coagulara. Literalmente, o corpo do rei apodreceu de dentro para fora. Shakespeare quer nos mostrar que a corrupção do reino começou com a corrupção do corpo do rei. Primeiro o corpo físico foi destruído, agora o corpo político, o reino, seria. O processo está em andamento. O espectro se lamenta que tenha partido sem se redimir de seus pecados, sem extrema-unção, e diz que ficou condenado a vagar por aí, sem paz. Essa é outra crença de época bastante curiosa e recorrente nas peças de Shakespeare: a de que um assassinato interfere no corpo e na alma do morto de forma indelével. A alma de Hamlet pai vagava justamente porque ele foi assassinado. A morte não natural o tornou incapaz de se integrar ao universo *post mortem* ou de se retirar por completo deste. O historiador Jean Delumeau mapeou essa crença em muitos lugares da Europa, além da Inglaterra. Como disse, o próprio corpo assassinado não seria um corpo morto como qualquer outro, que falecesse naturalmente: na peça *Ricardo III*, por exemplo, "os ferimentos de Henrique VI começam a sangrar quando seu assassino Ricardo aproxima-se do corpo", lembra o tradutor Lawrence Flores Pereira numa recente tradução de *Hamlet* para o português.

Antes de ir embora, o fantasma ainda faz uma última recomendação. Não quer que o filho se vingue da mãe. Os erros dela deverão ser pesados por ela mesma, por ação "dos céus", que apertaram os espinhos em seu coração. Ele jura que fará o que o pai pediu. Parece admirar a figura paterna, que se despede com um "adeus, lembra de mim".

Hamlet é dividido afetivamente. Se é verdade que há pessoas que ele despreza sempre, como o tio, no campo do gostar ele se comporta com uma ambiguidade muito grande. Vamos examinar a hipótese. Hamlet ama o pai acima de tudo. As observações na peça são muito elogiosas. Quando, mais à frente, obriga a mãe a fazer comparações entre o marido vivo e o morto, as referências ao pai de Hamlet são quase de idolatria sobre virtudes e aparência. O órfão venera o pai. Haveria ambiguidade?

O príncipe usa de ironia quando o fantasma enfatiza a necessidade de jurar segredo. Sabemos que o velho rei Hamlet passou grande parte da sua vida guerreando. Sabemos que o príncipe brincou muito com o bobo da corte, Yorick, cuja caveira ele reencontra antes do enterro de Ofélia, exatamente porque havia pouco a fazer além de esperar o retorno do rei-soldado. O pai de Hamlet é venerado e descrito com adjetivos positivos, mas existirá amor sob a capa do épico?

Sempre desconfiei da veneração do jovem pelo progenitor. Não existe uma base no texto para aprofundar a ideia, mas o pai idealizado está morto e os finados têm a virtude da melhora. A corte parece celebrar o fim das guerras com o passamento do soberano. Há um louvor ao comando, aos trajes de guerra, sua força hercúlea e à mão de ferro na condução das tropas. Parece existir pouca intimidade afetiva. Shakespeare escreve no fim do século XVI. O modelo de amor paterno e materno, a ideia de família e o lar como um altar afetivo eram um processo recente. Numa família da nobreza nem sequer predominava o contato entre pais e filhos, pois amas de leite e babás eram onipresentes nos primeiros anos do infante de sangue azul.

O luto de Hamlet parece maior pelo rei do que pelo pai, ainda que o falecido seja uma das duas pessoas que ele admira e confia. A outra, obviamente, é seu amigo Horácio.

Hamlet elogia Horácio com palavras menores do que as que usa para o pai, mas imensamente mais íntimas. Horácio estudou com ele em Wittenberg. É nos braços do amigo que o príncipe agoniza e pronuncia suas palavras finais. Trata-se de uma amizade na vida e na morte.

Horácio é opaco, sem traços de personalidade notáveis. Funciona, como diz o autor Harold Bloom, como uma parte nossa ao lado do príncipe. Horácio submerge num estilo plano e quase insosso para que possamos acompanhar as peripécias em Elsinore. Hamlet louva que ele seja fleumático e nós, maldosamente, pensamos em fleuma excessiva, quase apatia.

Uma personalidade como a de Horácio é adequada ao ciclone hamletiano. Nenhuma personagem suplanta a consciência e a força do príncipe. Com exceção do coveiro e do fantasma do rei, ninguém parece se impor ao nosso protagonista. As pessoas temem Hamlet pelo berço, pela loucura, pelo medo de serem descobertas, pelo controle da paixão ou até pela habilidade esgrimista. Mesmo o astuto Cláudio usa a autoridade sobre ele, sem perder um receio declarado e permanente. O amigo Horácio nem chega a encarnar a virtude tradicional do afeto crítico, daquela pessoa próxima capaz de indicar nosso ridículo, nossa incoerência, nossos recantos obscuros que podemos defender de fortes inimigos, jamais de amigos íntimos. Hamlet admira o pai acima e confia em Horácio abaixo; Hamlet jamais parece ter experimentado a beleza da igualdade afetiva. A isonomia é o ar que a verdadeira amizade respira. As relações de entrega fraternal e afetiva são intensas porque não precisamos manter o ar de autoridade ou temer a perda do controle.

Por que um amigo é algo tão importante? Porque não controlamos e não somos controlados por ele. Assim, a amizade foge ao poder e evita o medo que poderes acima e abaixo podem inspirar. Hamlet, de fato, confia cegamente em colegas diletos, todavia não tem amigos. Exemplo claro de uma hierarquia mal disfarçada? No episódio do fantasma do Ato I ele obriga a todos não com apelos dramáticos, mas com a força de um superior. Hamlet manda e os subordinados obedecem – entre eles, Horácio.

Nada podemos dizer de Rosencrantz e Guildenstern porque ambos, como veremos, não são amigos. Desde cedo o herdeiro de Elsinore percebe o jogo do súbito aparecimento dos dois. No episódio da flauta está a ironia de Hamlet a recuperar o domínio retórico sobre o outro. De forma cruel, Hamlet fala da morte certa dos dois como um castigo por terem ficado no meio de uma briga dos grandes. Aqui a falta de isonomia é quase absoluta, aliada a uma questão social: Hamlet está desprezando gente comum em comparação a nobres.

A frase anterior me separa de bardólatras. A pessoa que venera Shakespeare-Hamlet fica ofendida se encontramos "defeitos" nos textos ou nas personagens. Amo a pena de William Shakespeare, considero *Hamlet* a obra que mais marcou a minha vida, e nem assim considero o príncipe um herói perfeito na ação e nos gestos. Na verdade, amo a ambiguidade do dinamarquês, sua humanidade, sua inteligência e consciência ao lado de sua estratégia cínica e até assassina. Hamlet é genial e, mesmo assim, sujeito ao humano.

Uma última questão sobre o peso do pai em *Hamlet*. Literariamente, não é difícil perceber que a morte do rei Hamlet é a morte de um tempo. Shakespeare, na virada para o século XVII, idealizava uma Idade Média de cavalaria, cheia de valores bélicos como honra, vingança, força e virilidade. Tudo isso estava no Hamlet pai. No filho, um outro tempo, mais reflexivo, mais cortesão, menos impetuoso, mais cheio de jogos de poder e de representação. No tempo do príncipe Hamlet, há tanto espaço para os jogos de poder e cena que existe uma peça dentro da peça, como veremos mais adiante. Há dois tempos da peça, o medieval e o da corte. Uma das últimas falas do príncipe no Ato I é "o tempo está disjunto". A cisão se dera com a morte do pai, que agora pedia ao filho que se lembrasse dele (e de seus valores) e o vingasse, que costurasse os tempos rasgados com o assassinato. Será que essa era a missão do filho?

Qual o peso dos pais num filho? Perdi meu pai há alguns anos. A partida foi suave para ele. O vazio foi imenso para nós. De tempos em tempos, a saudade dói vivamente; é quando o "nunca mais" do corvo de Edgar Allan Poe grita na janela. Mas no geral, passado o tempo, a vida se reequilibra e os espaços vazios se acomodam. Meu pai nunca me pesou ou me impôs mais fardos do que o esperado em manuais de psicologia. Fui amado, e isso é um privilégio. A literatura, entretanto, traz tantos outros exemplos de como os desejos paternos, mal sublimados, forçam-se no destino dos filhos. Franz Kafka escreveu uma *Carta ao pai*. O texto é eivado de raiva. Hermann Kafka recebera friamente o anúncio do noivado do filho, criticava a trajetória (até então) mediana dele na literatura. Kafka pai atacava tudo e se considerava superior a todos; ninguém escapava do crivo demolidor das análises, feitas sem que ele se dignasse sequer a se levantar de sua cadeira. Como quase sempre, as dores de Franz são ligadas ao ser amoroso e ideal que ele gostaria de ter tido. A carta é um pedido de afeto, um reconhecimento da importância da figura do pai. O ódio contido no texto disfarça uma súplica. A amargura destilada em quase cem páginas manuscritas grita por atenção e cura. Kafka reclama que o pai não o via como ele era. Contraditoriamente, o gênio de *A metamorfose* busca um pai que não existia. Nunca sei se amamos ou odiamos alguém real ou uma construção nossa. Também imagino que o pai de Kafka tivesse criado um ambiente de amor intenso; se Kafka filho não fosse feio e tímido; se em vez de pertencer a um grupo alvo de preconceito (os judeus), ele fosse um tcheco católico e se tudo desabrochasse ante os pés de Franz... Se tudo tivesse ocorrido em leito de rosas, será que teríamos as obras brilhantes que temos? A dor gera mais rebentos do que a felicidade. No caso de Hamlet, a vingança pedida pelo pai o consumiria. Em busca de restaurar a honra da família, assim como Jasão atrás do velocino de ouro, o levaria à desgraça, a atitudes desonrosas. A dor e o pai mal resolvido geraram mais dor e mais irresoluções.

Há mais coisas no céu e na terra do que pode sonhar tua filosofia

O primeiro ato termina com um juramento. O fantasma sai de cena e Hamlet escreve sua missão. Seus companheiros, que a tudo assistiram escondidos, o encontram. Não ouviram a conversa, mas viram o espectro. Hamlet se recusa a dizer o que foi confiado a ele por seu pai, mas diz que há ofensa grave e que a vingará. Pede segredo e os obriga a jurar segurando sua espada. O formato cruciforme da arma dava sacralidade ainda maior ao ato ao mesmo tempo que prenunciava que dela sairia a vingança. A voz do espírito do velho rei clama: "Jurem!" E eles o fazem. Os três, Horácio, Hamlet e Marcelo, tornam-se cúmplices com o juramento. Um pouco assustado com tudo o que presenciara e com o que acabara de fazer, Horácio diz estar assombrado, diz que era tudo estranho. Hamlet solta outra frase icônica: "Há mais coisas no céu e na terra do que pode sonhar tua filosofia."

Essa frase foi lida de muitas formas. Na peça ela é uma ironia fina. Ou nem tanto. Horácio era um acadêmico, um cético, um racionalista. Em sua filosofia, ou seja, em sua maneira de conceber e tentar explicar o mundo, não haveria espaço para mortos falantes ou coisas fora da ordem natural. Hamlet era seu par oposto, mais intuitivo, mais consciente das possibilidades sórdidas e sublimes que a realidade pode esconder logo abaixo da pele. O que o príncipe pontuava é que na lógica de Horácio não cabia o insólito, mas no mundo, sim. Muito mais havia no universo do que na cabeça e nos estudos de seu amigo.

Richard Dawkins, em *A desilusão de Deus*, conta sobre o grande biólogo J.B.S. Haldane, que desconfiava que o universo seria não só mais esquisito do que supunha, como muito mais esquisito do que qualquer pessoa fosse capaz de supor. O cientista arrematava dizendo: "Desconfio de que há mais coisas no céu e na terra do que se sonha, ou do que se consegue sonhar, seja em que filosofia for." Uma apropriação de Hamlet bem interessante que nos põe a todos no papel de Horácio, limitados pelas ferramentas cognitivas que temos. A própria ciência tem nos mostrado que o pouco que conhecemos é absurdamente maior do que já se supôs historicamente. Vivemos num universo potencialmente infinito. Apenas na região observável do cosmos, uma área com um raio de 15 bilhões de anos-luz, há um total entre um sextilhão e um septilhão de estrelas. Como sou de humanas, vou deixar claro aos meus colegas de área o que significa isso: o número 1 seguido por 21 ou 24 zeros. Ou seja, realmente há muito mais no céu do que o sonhado historicamente por qualquer filosofia.

Não é incomum ouvirmos que há mais estrelas no céu do que grãos de areia no mundo. Laertes Sodré Júnior, astrônomo da USP, já fez os cálculos que assombram e nos mostra que há, na Terra, mais do que a sua e a minha filosofia dariam conta: "Se considerarmos grãos com um diâmetro médio de 0,4 milímetro, caberia um septilhão de grãos numa área desértica quadrada, com cem quilômetros de lado e 3,2 quilômetros de profundidade. Não é uma área tão grande: se somarmos toda a areia das praias, dos desertos e do fundo dos oceanos, o total de grãos deve ser muito maior que o de estrelas no Universo observável." Em suma, a ciência, herdeira atual do status de que gozava a filosofia nos tempos de Shakespeare, é, em si, capaz de nos mostrar quanto ignoramos em nossas suposições diárias. Basta olhar para os céus e para os grãos de areia.

Em outros campos, a frase de Hamlet ecoou com muita força. O grande Machado de Assis, um apaixonado pelo bardo, a usou em pelo menos dois de seus textos. Ela está como paráfrase em *Quincas Borba* e de maneira literal no início do conto "A cartomante". "Não se comenta Shakespeare, admira-se", escreveu o bruxo do Cosme Velho num dos seus artigos de início de carreira, quando foi crítico teatral. A professora Adriana da Costa Teles garimpou precisas 273 referências ao inglês na obra de Machado, espalhadas em cinquenta contos, dez poemas, três peças de teatro e cem textos de natureza diversa. Mas o brasileiro também ensina e, com ele, igualmente aprendi muito. Em "A cartomante", vemos que a admiração não é devoção ou cópia, mas uso e criação a partir de Shakespeare. Quem lia a citação de *Hamlet* logo no início do conto provavelmente esperaria que uma tragédia se seguisse, que algo realmente misterioso e de outro mundo (ou deste) surgisse, como um espectro pedir vingança ou uma vidente realmente ter contato com alguma metafísica que foge aos céticos. Pelo contrário, Machado subverte a personagem dinamarquesa e, na história de Rita e Camilo, tudo o que se pode realmente ler não são as cartas de tarô, mas o mundo como ele é, com muito desencanto e charlatanice e que igualmente terminaria em mortes.

ATO II

NO MUNDO QUE É UM PALCO, NOSSO PAPEL É INSUPORTÁVEL E QUASE NINGUÉM É O QUE PARECE SER

Novamente, estamos no interior do castelo. É dia e Polônio está maquinando mais uma vez. Tem junto dele um lacaio, Reinaldo, a quem passa uma série de tarefas. Como vimos, ele quer espionar o filho, em Paris. Ordena que seu servidor indague em tavernas, prostíbulos e casas de jogos de azar sobre Laertes, passando-se por um conhecido dele, alguém que quer encontrá-lo, mas não um amigo, ninguém muito próximo. O pai não quer que seu espião levante suspeitas, mas ele precisa se certificar de que seu rebento tem boa conduta. Não confia no próprio filho, talvez por conhecer sua própria natureza viperina. O sangue do pai poderia correr no filho, ficamos com a impressão, pois a corte é teatro, é jogo de aparências, e Laertes pode parecer um rapaz correto e ser um devasso a gastar a fortuna paterna. "Nós, que somos sabidos e jeitosos", conclui Polônio a Reinaldo, "encontramos o norte com desnorteios".

O servo se retira e Ofélia entra no recinto. Está com medo. Não consegue entender o que está se passando com Hamlet. Ele está andando com roupas abertas e desajeitadas, aparenta ter enlouquecido. Nós, espectadores, já sabemos que o plano elaborado de vingança entrou em ação. O jovem príncipe está se fingindo de louco como parte de sua conspiração para vingar o pai. Impossível não brotar em nós uma dúvida: por que ele simplesmente não mata o tio, no meio de tudo e todos? A resposta superficial é óbvia: porque Cláudio é rei, casado com a mãe de Hamlet, morreria sem que sua culpa fosse de fato revelada. Nosso protagonista quer que ele confesse. Como fazer com que ele dê com a língua nos dentes? Ainda não sabemos, mas a trama é elaborada. E ela começa com a loucura fingida de um príncipe melancólico e em luto.

Polônio ouve o relato da filha que conta desatinos de Hamlet. Crê que ele enlouqueceu de amor, certamente porque suas ordens para que Ofélia se afastasse dele e resistisse a suas investidas estavam fazendo efeito demasiado. O cortesão é tão autocentrado e tão cheio de ardis que acha que errou na mão. O príncipe devia realmente estar apaixonado e sucumbiu à loucura quando sua donzela passou a ignorá-lo. Partem para avisar o rei: ele precisa saber que seu sobrinho perdeu o juízo e que isso se deveu ao amor não correspondido.

Eu disse há pouco que uma resposta superficial seria óbvia. Vamos apimentar as coisas, então. Numa leitura moral simples, Hamlet encarna o bom, o belo e o justo aristotélico. É instrumento de fúria vingativa, mas inequivocamente está do lado dos mocinhos. Seu tio é o malvado, o usurpador, e merece ser morto, desmascarado. Sua mãe tem posição ambígua: se sabia de tudo e já tinha caso com Cláudio, é tão culpada quanto ele, uma cúmplice, talvez conspiradora e, no limite, a mente por trás de tudo. Polônio é um falso, uma cobra que sabe rastejar nos bastidores do poder e manter sua condição, uma prefiguração de Talleyrand, o príncipe-estadista, que serviu à Revolução Francesa, ao Consulado, a Napoleão, aos Bourbons restaurados e à Casa de Orléans. Mudava o cenário e o ator continuava na peça, fiel apenas a si mesmo.

Mas Hamlet finge. Finge ser louco, e sua melancolia, com isso, entra em suspeição. Ele próprio usa do jogo de aparência para a eficácia de seu plano. Usa Ofélia em seu ardil. Será que realmente gostava dela? Polônio estava certo em algum momento. Ou Hamlet apenas queria usar a garota como passatempo e, nesse sentido, continuava a usá-la; ou realmente gostou dela, mas seu amor ao pai, à memória pesada de um pai ou a si mesmo e sua vaidade eram maiores. Hamlet começa a se metamorfosear. O louco fingido será Hamlet, de fato, vendendo a virtude por um prato de lentilhas.

Mais conteúdo e menos arte

A cena dois do segundo ato é longa e cheia de sutilezas. Shakespeare cria uma solução interessante para fazer várias tramas se relacionarem. Usa o artifício de audiências com o rei. Veremos, na primeira metade, o casal real receber vários cortesãos, embaixadores e mais traquitanas e fabulações serão apresentadas à audiência. Os primeiros são dois amigos de infância de Hamlet, Rosencrantz e Guildenstern, que ele talvez conhecesse de Wittenberg, pois os trata como "colegas de escola" mais à frente. Cláudio já os conhece de longa data e os trata com intimidade e cordialidade. Não demora muito para dizer que Hamlet não era o mesmo, nem por fora, nem por dentro: aparência e essência eram radicalmente outras. A essa altura, convém lembrar, é a melancolia do príncipe, seu apego ao luto, sua atitude passivo-agressiva para com o tio e a mãe que tanto incomodam o casal real. Pede aos dois nobres que espionem Hamlet e tentem entender o porquê de ele estar tão estranho. Um ingênuo espectador de primeira viagem, desconhecedor de Shakespeare e que entrou atrasado no teatro, perdendo o Ato I, poderia apenas ver a atitude de um tio amoroso, um padrasto que quer bem ao enteado e deseja seu pronto restabelecimento. Nós, que estamos assistindo à trama desde o início, sabemos que a consciência de Cláudio pesa e que ele precisa cooptar o sobrinho e garantir vassalagem e fidelidade de todos os que um dia beijaram a mão de seu irmão morto. Sua legitimidade como monarca depende dessas homenagens. Rosencrantz e Guildenstern saem prometendo que cumprirão seu dever e, com isso, trairão a confiança do amigo de longa data. Na corte, no centro dos jogos de poder, seja em Elsinore, seja em *House of Cards* ou em Brasília, irmão desconhece irmão e o amigo de ontem é o adversário de hoje.

Polônio entra sozinho. Ofélia parece ter ficado no meio do caminho da pena de Shakespeare ou das confabulações paternas. Entra e anuncia que os embaixadores da Noruega já aguardam audiência e trazem boas notícias. Cláudio o elogia e diz que ele é sempre o arauto das boas-novas. O cortesão agradece, reafirma ser um humilde e eficaz servidor do rei e já passa a Hamlet: "Descobri a causa, o móvel verdadeiro da loucura que assola o espírito do príncipe." Mas, raposa velha, quer deixar essa descoberta para a sobremesa e corre para chamar os embaixadores. O rei e Gertrudes têm breve diálogo em que fica claro que continuam suspeitando que a melancolia evoluía para a perda de juízo: era o luto do pai e a incapacidade de aceitar o novo casamento da mãe.

O embaixador traz um documento para o rei, reafirmando a vassalagem da Noruega. O jovem Fortimbrás estava mesmo armando exércitos, mas não para atacar a Dinamarca (ou não mais, depois que seu tio, o rei norueguês, lhe puxara as orelhas), mas, sim, a Polônia. Quer assegurar passe livre por Elsinore para que suas tropas avancem. Cláudio concede. Então, Polônio começa sua sobremesa, detalhando a loucura de Hamlet como uma demência relacionada ao seu amor por Ofélia. Mas faz isso com tamanha pompa e circunlóquios, que a rainha solta uma frase lapidar: "Mais conteúdo e menos arte." Nesse momento, mais uma vez, a peça brinca com o mundo de aparências e seus limites na corte. Ao mesmo tempo, Polônio começa a se tornar mais cômico. Não chega a ser um bufão ou palhaço, mas impossível não imaginar a plateia rindo com tiradas como: "Resta agora que saibamos a causa desse efeito [a loucura do príncipe], ou, melhor dizendo, a causa deste defeito". Ele lê uma carta que o jovem mandara a Ofélia e desencadeia a conclusão: repelido, entristeceu; a melancolia enfraqueceu e debilitou sua mente; debilitado, entregou-se aos delírios e enlouqueceu.

O rei parece desconfiar. Nós sabemos o porquê. Polônio insiste e diz que colocará a filha no caminho de Hamlet e, escondidos, Cláudio e ele poderão atestar se Hamlet está realmente louco e se a razão é Ofélia. Caso estivesse errado, que fosse retirado do Conselho de Estado. Ah! Os puxa-sacos e aproveitadores! O risco de gente aduladora é mais uma das coisas que podemos aprender com Hamlet. Na verdade, a lição é antiga. Paulo, em Romanos 16, já advertia que as palavras suaves e a bajulação enganam o coração dos incautos. Essa linha e Provérbios 29 ("O homem que bajula seu próximo está apenas construindo uma armadilha para si mesmo") parecem ter frequentado o coração de Shakespeare quando ele compôs Polônio. Ele viverá para bajular, viverá da bajulação e será vítima de suas próprias armadilhas. Meio século depois de Paulo,

Plutarco escreveu um tratado inteiro sobre "Como distinguir um adulador de um amigo". Nele, a lógica é moral: por conta de nossa vaidade, de nosso imenso ego ("cada um de nós é o primeiro e o maior adulador de si próprio"), adoramos nos cercar de quem confirme as mais altas expectativas que temos de nós mesmos.

Amor-próprio, diz o grego latinizado, é salutar. Mas a diferença entre veneno e remédio é a dose. Se nos enamoramos de nós mesmos, atrairemos bajuladores como moscas são atraídas pela luz. Desejando confirmar nossas realizações, tornamos os Polônios indispensáveis, pois eles confirmam nossos dotes. O puxa-saco vive bem como rêmora. Não precisa de luz própria. Mas nós precisamos desse parasita como ar para viver. Deixamos, em nosso delírio envaidecido, de pensar por nós mesmos. Transformamos o bajulador num espelho que só mostra o que queremos ver. Nossos defeitos são ocultados, nossos vícios minimizados e nossos feitos e virtudes são ampliados, criando uma imagem distorcida, com fundo de verdade. Logo, convincente: Cláudio merece Polônio. Polônio serviria a Cláudio, Hamlet ou qualquer outro no poder.

Plutarco vai além e diz que apenas os pobres, por não atraírem bajuladores (afinal, que vantagens tirariam deles?), podem se gabar de ter amigos de verdade. Os demais, bastando ter algo que possa interessar a um terceiro, como dinheiro, fama, carisma, propriedades, poder etc., devem desconfiar das pessoas a sua volta. O amigo quer bem ao outro, logo pode dizer de seus vícios e erros: "o elogio é tão conveniente para a amizade quanto a censura no momento oportuno", comenta. Mas o Narciso interno pode taxar uma verdadeira amizade como inveja, e o bajulador, que só quer realmente bem a si mesmo, pode ser alçado ao patamar de amigo. O caminho para a desgraça estaria traçado.

Quer saber quem é seu amigo? Esteja mal. Anuncie que perdeu tudo. Quem ficar, quem oferecer um ombro sem desejar nada em troca que não seu bem-estar e seu conforto merecerá o título. Os bajuladores são como ratos e abandonam o navio a qualquer sinal de furo no casco. Plutarco diz que devemos testar as pessoas antes de recorrer a elas. Depois disso, será tarde demais. E como saber que aquele que nos critica não é simplesmente um invejoso? Simples: quem tem inveja critica desbragadamente, com gosto. O amigo o faz a contragosto e não tira da crítica gozo algum. O amigo é firme e veste sempre a mesma roupa; seus gostos e aversões são similares aos seus mesmo que as circunstâncias mudem. O bajulador troca de roupa conforme o baile. Gertrudes quer mais conteúdo e menos arte, Polônio torna-se até mais cômico e menos cerimonioso. O invejoso, não se preocupe, quer suas roupas e não as dele.

No século XVI, com a ascensão mais clara de um mundo cortesão, calcado na bajulação, nos favores e no toma lá dá cá, o problema apareceu diversas vezes. Não mais apenas como uma questão moral, mas como um tópico político. Maquiavel, no capítulo XXIII do *Príncipe*, faz algumas considerações que dão mostra disso. A grande questão de fundo era como saber distinguir atitudes realmente desejáveis, cívicas, como respeito e deferência com autoridades constituídas, da bajulação. O florentino escreveu: "Os aduladores [são] tão abundantes nas cortes porque tanto compraz aos homens serem elogiados, e de tal forma se enganam, que dificilmente se defendem desta peste." Não havia mudado muito desde Plutarco: luz atrai moscas, elas ficam por lá porque a luz gosta que fiquem. Os homens gostam de ser bajulados. A adulação é um veneno, pois entorpece os sentidos. Um governante iludido por seus bajuladores perde o contato com a realidade. Presidentes com popularidade próxima do zero absoluto tendem a se achar estadistas inesquecíveis por conta da corriola que os cercam. Creem de olhos fechados (e mantidos assim por seus bajuladores) que sua falta de popularidade é incompreensão do momento. A história os redimirá.

O cardeal Mazarino, mais ou menos cinquenta anos depois da primeira encenação de Hamlet, escreveu um manual para cobras políticas. Em seu *Breviário dos políticos*, o sucessor de Richelieu na França não oferece conselhos para nos livrarmos de bajuladores, mas, sim, para sermos bajuladores com a máxima eficiência: "Fala sempre com um ar de sinceridade, faz crer que cada frase saída de tua boca vem diretamente do coração, e que tua única preocupação é o bem comum. Afirma, além disso, que nada te é mais odioso que a bajulação." Ou seja, disfarce, finja interesse e verdade. Mazarinos, Polônios e congêneres estão a seu lado na empresa, nas redes sociais, no churrasco do fim de semana. Cuidado. Primeiro consigo mesmo. Depois, com eles.

Achados da loucura que a razão e a sanidade nunca encontrariam

Hamlet entra em cena com um livro nas mãos. Todos se retiram e começa a pantomima. Polônio o aborda, fingindo que estava sozinho. Hamlet, por sua vez também um fingidor, aparenta não reconhecê-lo e pergunta se Polônio vende peixe e se é um homem honesto, pois honestidade é algo que só se acha uma no meio de um milhão. Depois pergunta se tem uma filha, mas adverte que a concepção é uma bênção, mas temos de evitar que a filha ande ao sol, afastando-a de ocasião em que ela mesma venha a conceber. Polônio conversa com a plateia, quase admirando a loucura de

Hamlet por sua sinceridade e por sua capacidade de dizer verdades universais. Pergunta o que o príncipe está lendo: "Palavras, palavras, palavras." O jogo da representação dentro da representação ganha camadas: o livro é feito de palavras e elas não são as coisas que descrevem, não são as coisas em si, mas a representação delas. No entanto, tais palavras são tão ou mais verdadeiras que as coisas, tão enganosas aos nossos sentidos quanto podem ser. A loucura de Hamlet, conclui Polônio, em outro momento cômico, "tem método": "São achados da loucura que a razão e a sanidade nunca encontrariam."

Para atingir a consciência hamletiana, é preciso apenas dizer o que as coisas são, como elas são. Por isso Hamlet se finge de louco no mundo que é um palco, onde a consciência é enganada. As fotos de revistas ou o Botox em rostos que não querem envelhecer, por exemplo, são enganos da consciência: não queremos ver o rosto da Medusa. Quanto mais escrevo "kkk" no Facebook, mais estou triste, pois preciso que o mundo "curta" a vida que acho insuportável. Da mesma forma, precisamos de hospício para imaginar que, estando fora, não somos loucos. Assim o fez Simão Bacamarte, do genial Machado, assim fazemos nós todos os dias. A loucura fingida, a loucura como método de Hamlet, nos diz que só interpretamos cenas, etiquetas e formalidades porque não aguentamos saber que fazemos todos parte de um teatro. Tente descobrir vagamente quem você é. Você não será feliz. Mas sua consciência o impedirá de ser vazio, e você não precisará postar o tempo todo na internet.

A Idade Média não tinha hospícios, porque as separações entre loucos e não loucos eram muito mais fluidas. A sociedade não era tão normativa. Hamlet diz que nós temos que estabelecer poderes, temos que estabelecer cenas, temos que estabelecer etiquetas, formalidades, porque eu não aguento constatar que todo o mundo é um teatro e que o papel que estou representando é insuportável. Porque não é o papel que escrevi, não é o papel que eu queria, não é o papel absolutamente daquilo que eu desejava. Hamlet está dizendo que quando todo mundo é normal, racional, equilibrado, com plano de saúde, que se veste equilibradamente e combina bege com marrom, azul-marinho com azul-celeste; quando todos dizem que querem contribuir para a empresa; quando todos publicam que são felizes; quando todos dizem, sem cessar: "Essa é minha vida e minha vida é legal, porque estou viajando, porque estou comendo esse prato"; quando todos dizem a mesma coisa, eu preciso dizer que ser louco é a única possibilidade de ser sadio nesse mundo doente. Seria você um vendedor de peixe? Seria honesto? Um em um milhão? Porque o louco da corte vai dizer no final que ele é o único que tem alguma luz de raciocínio, alguma luz de felicidade, mesmo morrendo. Porque ser normal nesse mundo é ser louco, e ser enquadrado neste mundo é, em primeiro lugar, ser alguém que serve para o palco alheio, para a peça escrita pelos outros, o roteiro definido por terceiros e, no final, como a morte solitária, sem a palma de ninguém, apenas uma biografia vazia e absolutamente infeliz.

Quase cem anos antes de Shakespeare, outro gênio de seu tempo explorou o recurso da loucura como a única forma capaz de viver num mundo que se considera racional, ordenado, mas que é, em si, mais louco do que alguém rasgando dinheiro. Erasmo de Roterdã escreveu seu *Elogio da loucura* em 1509 e o publicou dois anos depois. Erasmo era tido como o homem mais erudito de sua época, respeitadíssimo em meios filosóficos e eclesiásticos. Mas, para exercer uma contundente crítica da Igreja, do mundo da corte, da política e da moral, dos hábitos e dos reis, dos sábios e dos bêbados, precisou encarnar a Loucura e fazer com que ela mesma tecesse de si um elogio. A Insanidade aparece como uma divindade, talvez a maior delas, responsável por todas as principais criações humanas, da civilização à Igreja, da reprodução à gerência do Estado. Por ser louca, como Hamlet, dispara verdades sem papas na língua e denuncia o mundo como ele é, como um palco: "Não ponho a máscara como aqueles que pretendem representar o papel de sábios e andam desfilando como macacos vestidos de púrpura e como asnos com peles de leão. Que se vistam com disfarces quando quiserem, que suas orelhas sobressalientes sempre revelarão um Midas oculto." Assim como a misoginia de Hamlet diz a Polônio que Ofélia corria o risco de conceber se fosse deixada solta por aí, à luz do dia, a Loucura nos fala, de forma mais feminista (forçando a leitura para nossos valores, é claro), que o casamento é uma sandice para as mulheres: "Que mulher se entregaria ao matrimônio e à maternidade sem antes refletir sobre tudo, aguentar indiferenças constantes e as dores do parto, a infância e a juventude rebelde dos filhos ou a perda de sua liberdade?"

Em outras palavras, o recurso à loucura pode não ser invenção de Shakespeare. Tampouco o foi a ideia de que a loucura é uma forma de consciência do mundo. Mas, como Harold Bloom afirmou: "Hamlet é a personagem mais consciente da literatura ocidental." Eu indicarei, depois, que tenho algumas desconfianças da consciência absoluta de Hamlet, especialmente no ato final da tragédia (Ato V). O que poderia ser a consciência hamletiana e como a loucura pode ser seu método? Em primeiro lugar, ela flerta com nosso sentido atual de desconstrução de intenções. O príncipe ouve os longos e monótonos discursos de Polônio, analisa o que ele imagina que seja a luxúria da mãe, a hipocrisia fratricida e regicida do tio e, por fim, até as bebedeiras dos dinamarqueses. Hamlet vê o mundo e, não sendo bêbado ou assassino, acaba fazendo julgamentos iniciais. Se a peça terminasse no terceiro ato, veremos, seria mais moralista do que filosófica e Hamlet mais perto de um pregador religioso a deplorar os costumes do seu tempo.

O que, exatamente, torna Hamlet um homem consciente distinto de um simples julgador? Ele olha a cena e identifica a verdadeira intenção das pessoas. Polônio fala muito e sempre distribui elogios, aparenta fidelidade total e, no fundo, apenas é um fingidor comum. A boca de Polônio diz uma coisa, seu coração oculta outra. Mesmo quando diz a verdade, Polônio não a segue e, ainda que nem sempre minta, nunca é confiável para si ou para os outros. Distinto de Hamlet, o cortesão-conselheiro acredita no sistema da corte, no poder, na pompa do mundo e na fala descolada do sentimento. Hamlet usa a loucura realmente como método para chegar ao fundo das questões. Mais tarde, montará uma peça dentro da peça, momento maior da lógica da representação dentro da representação, da metalinguagem da loucura e da pantomima como formas de descortinar os personagens da vida real de suas alegorias e adereços, maquiagens e falsos gestos, para escancarar suas essências podres e corruptas. Polônio, por sua vez, vive dentro de uma peça atuando desde o começo e não percebendo que se trata de um roteiro comandado por Hamlet. Polônio é pouco consciente em comparação ao filho de Gertrudes. Um faz-se de louco para atingir seu objetivo de revelar a verdade; o outro falseia a verdade para manter seu mundo de aparências.

Hamlet imita Maquiavel e Jesus em outro diapasão. Maquiavel diz que o político deve parecer e não ser, pois manter a palavra empenhada, por exemplo, pode se tornar prejudicial aos interesses do Estado. O aspecto externo deve ser dominado para que oculte a disposição íntima. Jesus faz uma leitura negativa da atitude que o florentino defenderia mais tarde. O fariseu, diz o Nazareno, é aquele que exibe uma piedade teatral. Maquiavel imagina ser inevitável, quase um dado da natureza humana, separar o ser do parecer. Jesus classifica como erro ser um "sepulcro caiado de branco" e viver para impressionar a opinião pública mais do que perceber a sinceridade do próprio coração.

A corte de Elsinore é uma mistura de fariseus com maquiavélicos. Quase ninguém é o que parece ser, inclusive Hamlet, pois não está louco. No sentido negativo da expressão, o mundo é um teatro, como Shakespeare classificaria em outra peça (*Como quiserem*). Há falas formais, aquilo que as pessoas querem ouvir e que, no fundo, favorece meus planos. Como numa obra dramática, somos atores com falas e marcações de palco. Todo o mundo é, em sentido negativo, um teatro (*All the world's a stage*).

Hamlet é consciente porque percebe e se distancia, criando uma realidade aparentemente insana para manter-se são e focado em seu plano purificador e vindicativo. Não estamos falando apenas do grande código político da convivência em busca de favores, igualmente incluímos o pessoal. Exemplo? Por não se afastar de forma perspectiva do desejo da carne, da luxúria, do impulso e do clamor do sexo, Gertrudes, a mãe do protagonista, abrevia em excesso seu luto por sentir-se só e com vontade de compartilhar o leito com o cunhado, Cláudio. O desejo cega a rainha e é parte da trama que levará quase todos à morte. Hamlet, pelo contrário, domina seu evidente desejo (tenho dúvidas se realmente a tenha amado) por Ofélia para poder manipular a todos na busca da verdade sobre o crime. Aqui, se as lições fossem fáceis, diríamos que os estoicos estavam corretos. O homem que controla suas paixões está mais perto do equilíbrio pessoal, da feliz harmonia helênica chamada *eudaimonia*. Afastado das paixões desviantes, atinge a *ataraxia*, a serena capacidade de não ser enredado pelas marolas constantes da superfície conjuntural.

Os budistas achariam algo similar em função das armadilhas do eu e dos impulsos. Muitos cristãos se juntariam ao coro maravilhoso do controle/contenção como estratégia de sabedoria. O próprio Hamlet parece um virtuoso filósofo quando diz que seguiria um homem, desde que ele estivesse livre de paixões: "Me mostra o homem que não é escravo da paixão e eu o conservarei no mais fundo do peito" (Ato III, Cena 2). Já que a peça exibe muitas expressões vulgares, vou me unir a Shakespeare: o buraco é mais embaixo. Na verdade, o príncipe não atinge nem mantém a *ataraxia* ou a *eudaimonia*. O que distingue a paixão colérica de Hamlet da de Cláudio é, a rigor, um determinado campo ético.

A consciência hamletiana (o método da loucura, que Polônio admirou justamente por entendê-lo às avessas) é o controle de si de tal forma a perceber nas falas e ações as segundas intenções? Se assim fosse, Hamlet seria apenas um Polônio mais eficaz, um fingidor de resultados. Por esse recorte, o príncipe seria o modelo de política realista que mira no que é seu objetivo sem muitos escrúpulos ou limites.

Nada é bom ou mau em si; depende do julgamento que fizermos

Os próximos a entrar em cena, quando Polônio se retira, são Rosencrantz e Guildenstern. O reencontro dos amigos com Hamlet é caloroso e bastante filosofal, mas esconde o segredo de que foram mandados como espiões. O príncipe não esconde deles sua melancolia e sua loucura encenada continua a encetar frases dilacerantes e desconfortáveis, mas mais carregadas de verdade do que tudo em volta. Aliás, como disse o louco cênico: "É verdade, é uma p***!" Sim, misoginia e preconceito no uso da palavra de baixo calão, mas se substituirmos o palavrão por palavra mais adequada aos nossos tempos, ainda assim entenderíamos a mensagem que subjaz a sua época: a Verdade pode fazer mal. Liberta, se pensarmos em Jesus, mas ninguém assegura que liberdade sempre cause felicidade.

Hamlet prossegue dizendo que acha a Dinamarca a pior das prisões, que seria feliz dentro de uma casca de noz, mas é impossível ser feliz na claustrofóbica e podre Elsinore. Como os amigos insistem em dizer o contrário, que acham o lugar ótimo e que o mundo é uma prisão, não apenas o reino em questão, Hamlet assevera que nada é bom ou mau em si; depende do julgamento que fizermos. Desconfiado da presença de Rosencrantz e Guildenstern, indaga-lhes sobre por que visitam a região. "Viemos para vê-lo." A amizade é transparente até na sua traição. Hamlet os desmascara e os poupa de dizer a verdade: ele já sabe que estão ali por ordem do rei e da rainha, para vigiá-lo. Uma amizade desmoronava. A Dinamarca de Cláudio corrompia até sentimentos antigos. Rosencrantz e Guildenstern passam a ser joguetes nas mãos de Hamlet e não o contrário. A fidelidade dá lugar ao teatro.

Hora de decantarmos a densa passagem em três bons aprendizados. O primeiro sobre a amizade. O segundo, sobre seu fim. E, por último, sobre o relativismo.

Amizades surgem entre pessoas que se admiram. A estreita relação entre os filósofos Montaigne e Étienne de La Boétie, quase contemporâneos de Shakespeare, resulta numa das mais belas frases já escritas sobre esse tipo de afeto. Nos seus ensaios, o nobre tenta explicar por que amava La Boétie. Só consegue dizer que a causa central era "porque era ele, porque era eu". O autor dos *Ensaios* reconhece que, na especificidade absoluta do outro, está a chave da fusão elevada que chamamos amizade. A afirmação de Montaigne mostra que a amizade encontra um campo além da razão: algo entre a fraternidade adotada e a entrega ao mistério da afinidade afetiva. Fraternidade adotada porque o amigo torna-se um irmão por desejo recíproco. O mistério da afinidade afetiva porque, diante do amigo, torno-me, de fato, quem sou. Não existe uma racionalidade que abarque isso. A amizade é uma epifania lenta. Diferentemente de Plutarco, o amigo em Montaigne não é uma espécie de outro eu, um espelho de mim, mas um espelho no qual me torno eu mesmo, exatamente por não sermos iguais, mas afins. Esse é o desafio da amizade, pois o espelho é, algumas vezes, pouco generoso. Os amigos nos conhecem e, para eles, as cenografias sociais são inúteis. Sim, nossos amigos nos amam, e nos conhecem, e nunca saberemos se nos amam por nos conhecer ou apesar de nos conhecer. Mas a entrega à amizade intensa é uma entrega a uma jornada de intimidade e apoio.

O olhar do amigo não tem a doçura do materno e escapa do tom acre e ressentido do inimigo. Assim, longe do mel estrutural e do fel defensivo, é um olhar de sinceridade. Para ter um amigo, preciso de condições específicas. Eu identificaria três fundamentais. A primeira é a capacidade de se observar e continuar em frente. Uma conversa genuína com um amigo é uma dissecação anatômica da minha alma. Nem todos conseguem isso. Não é fácil atender ao preceito socrático: conhece a ti mesmo. Na minha experiência, conhecer os outros é infinitamente mais fácil do que conhecer a si. Se os filósofos já garantiram que homens maus não possuem amigos, mas apenas cúmplices, eu acrescentaria que pessoas superficiais possuem apenas colegas e conhecidos, mesmo que os denominem amigos.

A segunda é o tempo. Não se criam amigos de um dia para o outro. Amigos demandam história, repertório de casos, vivências em conjunto. Amigos precisam viajar juntos. Assim, os afetos integram as vidas das respectivas famílias. Amigos acompanham nossos sucessos e fracassos amorosos, choram e riem com nossa biografia. Quem adicionei ontem na minha rede social é um fantasma, um fóton, jamais um amigo. Amigos precisam de cultivo constante. Todo amigo é, dialeticamente, um frágil bonsai e um frondoso carvalho.

A terceira é o controle do próprio orgulho. A mais espaçosa dama da alma é a vaidade. Quando ela preenche o ambiente, sobram poucos assentos livres. Pessoas vaidosas são frágeis e temem a entrega da amizade. O amor é privilégio de maduros, dizia Carlos Drummond de Andrade. Creio que a amizade também o seja. Talvez não seja apenas para maduros, mas, com certeza, é um privilégio.

Hamlet, Rosencrantz e Guildenstern pareciam ter os três pontos. Conheciam-se, sabiam do gosto por teatro e detalhes uns dos outros, a linguagem corporal dos amigos os impedia de esconder segredos que a boca recusava dizer. Isso era fruto de tempo e de muita vivência juntos. Não houve, pelo que podemos ler, orgulho ou vaidades entre os três que tenha impedido uma fraternidade sincera. Mas tudo isso ruíra. Amizades verdadeiras (um pleonasmo ou um paradoxo?) também podem ter prazo de validade. Pessoas mudam. Amizades são um tipo de amor e todo amor pode afundar em meio a novas circunstâncias, mas a intimidade e a leitura que se tem do outro não naufraga junto. A falsidade de Polônio prescreve ao filho Laertes uma pérola de verdade: "Os amigos que tens por verdadeiros, agarra-os a tu'alma em fios de aço; mas não procures distração ou festa com qualquer camarada sem critério."

Amigos são poucos e escassos ao longo da vida, e essa é uma lição que eu duramente aprendi. Nós temos centenas de conhecidos, mas temos poucos amigos. O terrível de pessoas que já foram muito amigas e se reencontram quando a amizade deu lugar a ressentimento, frustração ou traição pode ser suposto em *Hamlet*, mas foi escancarado dolorosamente no quase monólogo entre o general Henrik e seu amigo de infância, Konrad, já idosos, no romance de Sándor Márai *As brasas*. O primeiro é um aristocrata que levou uma abastada vida na corte de Francisco José. O segundo tinha origem humilde, era mais inteligente e esforçado, tinha mais mérito em tudo. Nada disso, nunca, tinha sido um problema para ambos, amigos e irmãos em tudo durante a juventude e o início da vida adulta. O amor pela mesma mulher pôs tudo a perder e a dúvida sobre uma traição os afastou. Reencontram-se, no castelo assombrado e vazio de Henrik, décadas depois. Konrad praticamente não fala nada diante da verborragia e das reminiscências de Henrik porque não precisa. Odiaram-se por anos, amaram-se por anos. Conhecem-se sem precisar falar. Isso é o terrível e o encantador da amizade. Rosencrantz e Guildenstern chegam a assumir que Hamlet tinha razão, que foram mandados pelo rei e a rainha. Mesmo que não o fizessem, ele já sabia. Ambos, por sua vez, também já sabiam que o amigo que jogavam fora tinha consciência de toda a situação.

Por fim, como prometi, pensemos sobre o relativismo. O que é isso? É uma postura filosófica diante do mundo, existente desde a Antiguidade, mas abraçada com mais frequência desde a modernidade. Existem traços de relativismo na pregação de Jesus.

Ele introduz critérios novos ao dizer que não é o valor da contribuição que importa, mas que a viúva pobre, ao dar um único e miserável óbolo, é superior ao rico que oferece o que lhe sobra. O mesmo relativismo choca alguns quando Jesus diz que o samaritano, sendo alguém com identidade duvidosa com o judaísmo, entendeu o Reino de Deus melhor do que o piedoso e ortodoxo fariseu. Ainda assim, há um Reino de Deus, uma verdade imutável, fora dos sujeitos.

A ideia básica é que temos que cuidar com redobrada atenção de toda afirmação universalizante, que busque regras gerais que se aplicam a todas as situações em todos os lugares e em todos os momentos. Nós, humanos, temos visões históricas das coisas e, de certa maneira, somos condicionados por isso. Não impedidos de tentar extrapolar nosso universo, mas moldados por ele. Vamos a um exemplo? Pouco mais de cem anos antes da peça *Hamlet*, nenhum europeu, africano ou asiático vivo acreditava que a América existisse. Nenhum americano sonhava com o Velho Mundo. Por isso, as representações de mundo feitas na Europa por muçulmanos, judeus ou cristãos mostravam um mundo em três partes. Os cristãos viam nisso uma projeção da trindade: Deus criara o mundo a sua imagem e semelhança. No tempo de Shakespeare, havia indígenas na Europa, africanos na América, japoneses no México e qualquer outra combinação possível entre gentes e continentes era plausível de ocorrer. Logo, era impossível ver o mundo em três partes. Chineses falavam de uma civilização com muitos milênios de existência. Astecas também. Os pouco mais de cinco mil anos que os europeus achavam que a Terra tinha (desde o Gênesis) explodiam. Era impossível afirmar com plena convicção nos fatos que as certezas pétreas e universais do século anterior permaneciam de pé.

Afirmar, portanto, que havia relatividade no conhecimento humano e que o que parecia absoluto e verdadeiro podia variar em função de interesses subjetivos e contextos históricos, não diminuía o conhecimento das coisas. Pelo contrário, alargava. Nasce a dúvida como método: será que o que penso é sempre o certo ou sempre revela o que é certo para mim? Do ponto de vista moral, isso é patente: cristãos europeus mataram islâmicos e judeus em nome da fé, mas condenavam sacrifícios humanos feitos por indígenas em nome de outra fé. O canibalismo americano choca uma Europa cuja maior fé é baseada na Eucaristia: comer o corpo de Cristo. No primeiro relato de uma experiência multicultural globalizada, em "Dos canibais", o capítulo XXXI do Livro I dos *Ensaios*, Montaigne encontra indígenas antropófagos no Rio de Janeiro do século XVI. E usa aqueles indígenas para defender uma reforma da sociedade francesa. Para ele, os indígenas não entendiam como havia franceses tão satisfeitos e outros tão pobres, e por que um não atacava o outro. Montaigne passava a ver mais lógica em comer o outro por honra, em cerimônias antropofágicas, do que em matar irmãos em nome da fé, como nas guerras de religião que, literalmente, batiam nas portas do castelo do filósofo. E encerra com o famoso trecho: "Os selvagens não usam calças." Ou seja, como é possível que eles sejam tão sábios e tão equilibrados e possam vir aqui e falar desse absurdo ao rei menino Carlos IX?

Na Ética, abre-se um campo novo à semeadura: se eu estou certo, mas você também pode estar, abrimos o campo para entender que o sujeito é parte definidora do que acreditamos universal. O sujeito pode não definir qual é a aceleração da gravidade ou a composição molecular da água, mas deve estar ciente de que a base moral e política de sua vida é cambiante e o contato com o outro é a chave para isso. Se sou heterossexual e você homossexual, como cada um de nós busca o seu prazer é algo banal. Afinal, de forma relativista, afirmo que cada um é senhor do seu destino e deve buscar a própria felicidade. Deixa de existir um certo e um errado exterior ao sujeito. Eu abro mão de narrativas universais. O relativismo anda de mãos dadas com a tolerância e é uma das bases da modernidade.

Einstein se encarregou de levar essa filosofia para as chamadas ciências duras, exatas, com dois trabalhos (1905 e 1915) que, juntos, ganharam o título de teoria da relatividade. O cientista estabeleceu relações entre massa e a energia de um corpo, mostrando como tempo e espaço, grandezas pensadas como absolutas desde Newton, são, na verdade, relativas. Variam dependendo do ponto de vista do observador. O tempo pode passar mais devagar se estivermos dentro de um objeto que se desloca em grande velocidade. Um astronauta viajando pelo cosmos em velocidade muito grande (quanto mais perto da luz, mais fácil comprovar), quando retornar à Terra terá envelhecido menos do que seus amigos e sua família. Logo, a noção de tempo é relativa.

Mas alguém pode perguntar com razão: qual o limite do relativismo? Será que Hamlet tem razão em dizer que bom e mau são apenas pontos de vista? Em primeiro lugar, ele fala isso com certa ironia. Não acredita na frase. Sabe que felicidade é relativa (voltaremos a isso na conclusão), mas nem tudo o é. Para nós, o limite é o consenso. Na natureza, não há leis com apelo moral ou ético. Somos seres naturais, portanto, em si, não há nada que me impeça de matar, roubar, canibalizar, estuprar e cometer incesto etc. O que me impede de fazê-lo é que, historicamente, chegamos ao consenso de que isso faz mal, prejudica pessoas. Criamos um consenso, e ele virou, em muitos casos, lei. Alguém pode ser punido (depois de julgado) por ter feito coisas assim. Moral e legalmente concordamos que não se deve fazer isso.

Nem sempre foi assim. Hoje em dia, por consenso, não posso tolerar racistas ou pedófilos. Não se trata de uma opinião, mas de um crime terrível. Não existe relativismo para o campo ético da maneira com que passamos a concebê-lo. Racismo faz mal, é imoral e crime. Ponto. Mas, historicamente, a lei e a moral conviviam e estimulavam o racismo. Conclusão, por ora: o que eu acho que é bom ou mau deve ter a mim e ao outro como foco da reflexão. Apenas depois de muito fosfato gasto e muita saliva empregada em longos e balizados diálogos com quem pensa diferente de mim é que posso formular consensos. Alguns já são claros e parecem estar fora da disputa: a vida e os direitos humanos são uma conquista, pois implicam viver sem dor e sem causar dor apenas pela existência de alguém diferente de mim. Como conclui Hamlet: "Que obra-prima o homem!" Quase um anjo em suas ações, quase um Deus nas suas apreensões, rápido, infindo em faculdades, mas limitado, "a quintessência do pó". Podemos muito, mas, ao mesmo tempo, relativizando, quão pouco podemos.

Será que sou covarde?

Rosencrantz, Guildenstern e o príncipe continuam sua caminhada e sua discussão quando o primeiro anuncia que um famoso (mas mal pago – já se investia pouco em cultura naquela época) grupo de atores estava no castelo e vinha para encenar uma peça. Os três já conheciam a trupe de priscas eras. Não demora muito e eles cruzam com Polônio, e Hamlet tem outra altercação com o quase sogro, inundando-o com ofensas que não podiam ser censuradas dada sua condição de louco. Ironiza o cortesão, comparando-o a Jefté, juiz de Israel que ofereceu (inadvertidamente) a única filha em sacrifício para Deus. Também brinca com Rosencrantz e Guildenstern sobre a mania que Polônio tinha de ser o arauto de todas as boas notícias, como maneira de se destacar e ganhar favores: pede que nada falem dos atores para que o velho desse a notícia da chegada deles como se fosse a maior e mais aguardada novidade do mundo. E assim o foi.

O grupo itinerante de teatro entra em cena, mas só o primeiro ator falará. Saúdam-se e começam a discutir e declamar o enredo de uma peça sobre Eneias. Em especial, um diálogo dele com Dido, sobre a destruição de Príamo. Shakespeare atinge picos de genialidade aqui. Imagino-me na audiência, vendo uma peça da companhia de teatro que notabilizara o naturalismo como forma de atuação. De repente, atores fazem o papel de atores e começam a declamar uma outra peça de teatro, em outro método interpretativo, com outra linguagem. Impossível o público não ter percebido e se maravilhado com a habilidade de manipular gêneros do autor. Se Hamlet era a mais consciente das personagens, Shakespeare era um dos mais conscientes autores de seu tempo e de todos os outros.

Hamlet abre o livro que tem em mãos ("palavras, palavras, palavras", lembram-se?) e começa a declamar longos trechos da peça, mostrando familiaridade com o teatro. Agora, Hamlet vive uma peça. O primeiro ator, confirmando seu talento e fama, enfrenta o texto, pegando a deixa dada pelo príncipe. Polônio acha tudo muito longo e é insultado mais uma vez pelo protagonista. Ao fim, até o cortesão reconhece (ou finge reconhecer) talento no ator, que tem os olhos marejados apenas em ler a peça. A loucura fingida de Hamlet arremata outra frase imorredoura: quer que os atores sejam muito bem tratados, "pois eles são a súmula e a crônica dos tempos. É melhor, depois de morrer, ter um epitáfio malfeito do que ser difamado por eles em vida". A cereja do bolo vem quando Polônio diz que se encarregará de que sejam tratados conforme merecem: "Se cada um for tratado como merece, quem é que vai escapar do chicote?", diz o príncipe.

Impossível não notar um esgar nos lábios de todos nós com essa passagem. Se não está lá, você não a entendeu. Em alguns, talvez haja um sorriso largo ou uma risada. A ironia lancinante contida no debate sobre aparência e essência. Debate sério, no poder da fala cômica. Trecho de riso em meio a uma tragédia que se desenha. Mas por que rimos dessa passagem?

Dizer que os atores são a cara e a história de seu tempo, que o feito por eles ecoa na vida de alguém (e em sua posteridade) mais do que um epitáfio malfeito, é algo tão válido no início da modernidade quanto hoje, em tempos de modernidade líquida. Antes, o lugar daqueles que deveriam ser lembrados era demarcado pela escrita ou por uma habilidade artística extraordinária. Quantos milhões de anônimos a história desconhece e que, no entanto, fizeram muito ao longo de sua vida? A pirâmide no Egito tem faraó conhecido, mas ele não ergueu uma pedra ali. A pirâmide se deve a uma ordem sua, a um conjunto de arquitetos que comandou o projeto e a um batalhão de trabalhadores, sem os quais as ideias nunca teriam saído do papiro. Como diria Brecht, em *Perguntas de um operário letrado*:

Quem construiu Tebas, a das sete portas?
Nos livros vem o nome dos reis,
Mas foram os reis que transportaram as pedras? (...)
No dia em que ficou pronta a Muralha da China para onde

Foram os seus pedreiros? (...)
Em cada página uma vitória.
Quem cozinhava os festins?
Em cada década um grande homem.
Quem pagava as despesas?

A história que conhecemos é a que podemos contar com os documentos de que dispomos. Há técnicas e metodologias para recuperar a versão dos de baixo, mas trabalha-se com migalhas. A fama movia egos, e o receio da infâmia demoveu muitos.

No século XX, Andy Warhol previu que, no futuro, todos teriam quinze minutos de fama. Nesse caso, fama já virava sinônimo de celebridade, notoriedade. Fama ou infâmia dava no mesmo. Falem mal, mas falem de mim. Nosso mundo criou os *reality shows*, a internet e, com ela, vieram as redes sociais. Ao contrário de épocas remotas, hoje dói ser alguém comum ou levar uma vida opaca. Surgiu uma novidade: todos somos especiais e, por consequência, universalizamos a aspiração pela existência exuberante e intensamente feliz. A dimensão trágica da existência, os limites de tudo e uma certa vacuidade cotidiana parecem um acidente evitável. A fronteira do público e do privado, já bastante canhoneada, ruiu. Qualquer um de nós transmite-se em vídeos, fotos, opiniões o tempo todo para todo o mundo. Ninguém parece ter mais tempo para nada que não seja dobrar o pescoço diante de uma pequena tela e, como se houvesse muito tempo livre, passar muitas horas entrando em blogs, perfis e atrás de notícias. Ali amamos, desejamos, odiamos, repudiamos, endossamos com um ou dois cliques. Todos nós somos ciberfofoqueiros-vigilantes. O cuidado com a murmuração, com a fofoca, vem de longuíssima data. A Regra de São Bento (480-547) declara que não ser murmurador (cap. 39) e não ser detrator (cap. 40) é uma das obrigações básicas da vida monacal. A desaprovação beneditina à detração é visível, pois a palavra volta doze vezes na regra, sempre acompanhada de anátema.

No meu livro *A detração: breve ensaio sobre o maldizer*, escrevi: "A murmuração é um vício, um desvio da caridade cristã, uma hipocrisia de um monge que obedece, porém segue relutante em seu coração, um divisor de comunidades. O irmão murmurador é uma espécie de doente que deve ser curado com o auxílio do abade e da comunidade. Caso isso não seja feito, quebra-se a comunhão do grupo (a *koinonia* grega). O básico do murmúrio entre dentes, do som baixo dito a um irmão sobre uma tarefa ou sobre o abade, é que ele introduz a mentira, cujo pai é Lúcifer."

Agora, agradamos ao capeta, aos anjos ou ao ego de forma sistemática, diária, talvez de hora em hora para os mais viciados. Não sei se adianta advertir, aos jovens em particular, que tudo o que você postar será do público para sempre e poderá (e será) usado contra você. Você é o ator e o epitáfio de que fala Hamlet. Há pessoas dedicadas integralmente ao computador todos os dias, não saindo do seu espaço e do conforto do anonimato das redes, perseguindo notícias, pessoas e fatos. Criam perfis, inventam coisas, perseguem dados, republicam e transformam (falsas) notícias, são agressivos e controladores. Surgem novas palavras como *doxing*, *cyberbullying* e *cyberharassment*, que vão multiplicando sentidos e práticas de controle do alheio. Há um cruzamento de *Admirável mundo novo* com *1984*. Há, igualmente, um esvaziamento do campo da intimidade. Zygmunt Bauman chega a dizer que o conceito de vida íntima desapareceu no mundo líquido. Explorei esse novo tipo de solidão em redes em meu livro *O dilema do porco-espinho*.

No movimento pendular da história, podemos ver surgir a aurora do resguardo como valor supremo. Os novos invejosos dirão: você soube que ela não tem nenhum amigo ou contato e que nunca ninguém curtiu uma foto? O outro ouvirá incrédulo e desejoso do valor da invisibilidade, o desejo de voltar a ser o anônimo e não o cantado operário do poema de Brecht.

A outra ironia de Hamlet tem a ver com tratar cada um conforme merece. Há duas leituras para isso. Shakespeare não sonhava com nenhuma delas, mas, sim, com uma lógica cortesã e suas hierarquias e deferências. Eu me arrisco aqui sem levar o bardo comigo e imaginando que ele não se importaria com minha digressão. A mais liberal das leituras está relacionada com o indivíduo em si, o quanto crê que merece e o quanto de fato merece. E o principal, o quanto achamos que essa pessoa merece. Talento e criatividade são raros quando andam juntos. Todos nós temos habilidades e alguma inteligência. Não jogo futebol e sou involuntariamente cômico quando danço, mas sei dar aulas, sei escrever, embora não tenha o talento de grandes escritores ou a retórica de Cícero. Tenho colegas que são extrovertidos no palco e tímidos em conversas com apenas um desconhecido. Há quem projete prédios, mas não entenda de poesia. O contrário também há. Quando algum de nós tem talento, criatividade, perseverança e sorte, algum alinhamento cósmico raríssimo deve ter ocorrido. Pessoas assim rompem a barreira do anonimato ou da fama etérea das redes sociais prevista por Warhol. Tornam-se famosas. Mas nada disso tem a ver, necessariamente, com merecimento. Por que Bach mereceu ser o gênio da música que foi? Era boa pessoa? Irrelevante. Berlioz tinha inegável quinhão de talento e era insuportável como pessoa. Dalí e Jorge Luis Borges eram igualmente geniais, mas racistas, apoiadores de Francisco Franco.

Logo, não deve ter a ver com filiação política ou caráter. O próprio Shakespeare, do ponto de vista político, era bastante conservador e desconfiava da participação popular, mas era revolucionário do ponto de vista da escrita e da linguagem teatral. Descartes e Pascal eram religiosos; Bertrand Russell e Diderot, ateus. Picasso e Hemingway eram sedutores quase agressivos com mulheres.

O que eu quero dizer: no momento em que apenas uso o rótulo, perco a chance de ver engenho e arte. Fixar-se no estereótipo parece ser um recurso de certa estreiteza analítica. Tanto a maestria pode estar presente num indivíduo detestável como a mediocridade pode aflorar no mais engajado lutador dos direitos dos filhotes de foca. Fica mais fácil entender do que falava Hamlet. Se tratássemos alguém conforme merece, trataríamos mal, afinal, como diria Nelson Rodrigues (outro de vida e moral dúbias), de perto ninguém é normal. Não cabia a Polônio ser o juiz de como uma pessoa dever ser tratada. Não é o indivíduo, mas seu talento que deve ser reconhecido e bem tratado.

Não acho que tal pessoa merece isso ou aquilo. Sou muito melhor do que ela e ninguém percebe. O mundo parece brilhante ao seu redor? Os colegas, amigos e familiares levam uma vida que você considera superior à sua? Você passa horas percorrendo estradas virtuais na internet para verificar coisas e acompanhar vidas alheias e isso consome sua energia e sua alegria? Uma palavra: inveja, que deriva de *invidere*, ver com maus olhos ou não ver. Inveja é cegueira. Pior, o olho do invejoso magnifica a luz real ou existente de terceiros e cega sobre as luzes possíveis de si. Em vez de ser feliz na relva, ficamos contemplando, pesarosos, sóis e luas. Abrir mão da dor permanente da comparação e da projeção sobre a luz alheia é um desafio. Precisamos reaprender o caminho da máxima grega: conhece a ti mesmo. Isso não garante que cada vaga-lume se torne o Sol, todavia impede que ele se queime no equívoco da busca da luz alheia. Vaga-lume invejoso morre triste.

A outra leitura atualmente possível sobre o merecimento é mais social e envolve a lógica da meritocracia. A ideia de que alguém tem que ser recompensado de acordo com o que merece, por seu mérito, não era muito óbvia nos tempos de Shakespeare, nos quais ser amigo do rei ou amigo do amigo dele era mais definidor do lugar de alguém na sociedade. Menos de meio século depois da primeira encenação de *Hamlet*, a Inglaterra mergulhou numa guerra civil. Nela, um novo modelo de Exército surgiu: o "New Model Army". Teve vida efêmera, mas marcou época, convocado por força de lei do Parlamento em 1645 e dissolvido quinze anos depois, com a Restauração Stuart. A grande diferença dessa força armada era ela ser formada por soldados em tempo integral, com a função de garantir a soberania inglesa como um todo. Alguém que naturaliza tudo pode se perguntar: e não é assim até hoje? Bom, hoje pode ser. Na época, nenhum exército ocidental era assim. Os demais eram grupos conscritos a uma única área ou guarnição, normalmente por tempo determinado ou pela duração de um conflito. Terminada a guerra, voltava todo mundo para casa. Na lógica de soldados profissionais, não ligados a nobres ou à Câmara dos Comuns, tampouco adeptos de antemão de uma ou outra facção política ou religiosa, Oliver Cromwell venceu várias batalhas comandando esse Exército. Nele, o destaque e a bravura podiam resultar em promoção. Cromwell substituía o critério de nascimento ou indicação pelo mérito na hora de promover um soldado. A ideia era revolucionária e moderna, pois valorizava a capacidade e as ações de um indivíduo, mais do que sua estirpe e linhagem. No único período em que a Inglaterra foi uma república, a isonomia do New Model Army permitiu o surgimento da premiação de cada um de acordo com o merecimento.

Isonomia é uma grande aspiração das democracias atuais. Mestre Houaiss a define como "princípio geral do direito segundo o qual todos são iguais perante a lei, não devendo ser feita nenhuma distinção entre pessoas que se encontrem na mesma situação". Isonomia ganhou fortuna sorridente no século XVIII e se tornou bandeira para superar o Antigo Regime que estabelecia leis e tribunais distintos para cada estamento: clero, nobreza e povo. Ao assinarem a Declaração de Independência ou gritarem *Liberdade, Igualdade e Fraternidade*, os revolucionários de ambos os lados do Atlântico queriam a isonomia como parte das suas propostas. Nos Estados Unidos, a Constituição e a Bill of Rights e, na França, a Declaração dos Direitos do Homem e do Cidadão, garantiam formas de isonomia. O artigo sexto desta última esclarecia que a lei "deve ser a mesma para todos, seja para proteger, seja para punir. Todos os cidadãos são iguais a seus olhos e igualmente admissíveis a todas as dignidades, todos os lugares e empregos públicos, segundo a sua capacidade e sem outra distinção que não seja a das suas virtudes e dos seus talentos". Era uma revolução na sociedade de privilégios. Havia limites nessa cidadania nascente: pobres, negros, indígenas e mulheres ficavam de fora. Isto significava que a ideia de igualdade não era uma verdade matemática e universal, mas um valor limitado.

Voltamos ao castelo. O cortesão e os falsos amigos se retiram, deixando Hamlet com os atores. Eles combinam a encenação da peça *O assassinato de Gonzago* para a noite seguinte. O texto teria algumas linhas enxertadas da lavra do próprio príncipe. A trupe concorda e se retira. Hamlet faz mais um monólogo, no qual conta ao público que a peça serviria como um espelho no qual o rei se veria matando o irmão. Sua reação denunciaria sua consciência diante de todos na corte. Seria impossível que sua culpa não viesse à tona. Ao mesmo tempo, Hamlet se questiona se não está apenas procrastinando, postergando por covardia a vingança de seu pai. A dúvida o corrói. A pergunta que nos fazemos, diante de nossa própria incapacidade ou falta de ação para alterar os problemas de nosso mundo e de nossas vidas, é a mesma que ele fez: "Será que sou um covarde?"

ATO III

TODOS SOMOS CONTRADITÓRIOS, HERÓIS COM TRAÇOS DE VILANIA

O Ato III é decisivo na peça. Nele Hamlet executa o plano para desmascarar o rei provocando sua consciência atormentada. Neste ponto da peça ocorrem várias mortes, como a de Polônio, e, mesmo sem descrição, também morrem Rosencrantz e Guildenstern. Aqui caem as máscaras da civilidade e o rei Cláudio decide assassinar diretamente o sobrinho. Ao mesmo tempo, Hamlet chega ao máximo da consciência no ato com seu famoso monólogo "ser ou não ser". O mesmo Hamlet que revira a própria consciência no monólogo e revira a da mãe na cena do quarto torna-se, aqui, um assassino do seu quase sogro, Polônio. Pior. O príncipe demonstra pouco remorso e responde com piadas sinistras quando é questionado sobre o crime. O Hamlet que parte para a Inglaterra voltará completamente transformado no Ato IV. O Ato III é a reviravolta de quase todas as personagens, o grande *turning point* da peça. Vamos ao que podemos aprender com Hamlet.

Que açoite ardente esse assunto na minha consciência

Uma das características da depressão como doença é a paralisia física e psíquica. A vítima do mal tem, nos casos extremos, a dificuldade em sair da cama ou de algum lugar isolado. Uma letargia quase completa é um efeito dramático da depressão grave.

Hamlet finge loucura e vive uma tristeza dupla: luto pelo pai e incômodo pela rápida solução encontrada pela mãe e pelo tio. Hamlet, a rigor, não é depressivo. Ele corre ao encontro do fantasma, fica tomado pelo plano, cria uma peça dentro da peça, manipula pessoas, faz um duelo, luta no cemitério, grita, dialoga com dois coveiros, e assim por diante. Hamlet é representado de preto e triste, mas um psiquiatra não daria, provavelmente, remédios fortes para atenuar sua dor. A tristeza hamletiana é conjuntural e explicável: ele amava o pai e está de luto. Nem toda tristeza é depressão.

Por séculos houve o debate se a indecisão do príncipe que sabe do assassinato desde o Ato I e leva milhares de versos para executar a vingança final no Ato V seria fruto da melancolia. No final, curiosamente, o rei Cláudio foi morto porque o príncipe protagonista descobriu que o tio tinha envenenado (acidentalmente) a mãe e tinha tentado (e conseguido) envenená-lo de forma fatal. Quando Hamlet mata o tio no Ato V, já não existe o argumento do apelo do espectro paterno, apenas o ódio pela mãe que se esvai e por ele próprio que agoniza.

Existe uma melancolia derivada da consciência. O entusiasmo é maior quando vemos menos. O primeiro amor costuma ser o mais inflamado porque carece de comparações. A primeira ida a um hotel-fazenda, o primeiro cruzeiro marítimo acompanhado de milhares de viajantes sorridentes é sempre melhor no começo.

Consciência aguda produz um distanciamento notável. Hamlet é consciente e, sim, melancólico no sentido quase de um romance de Dostoiévski. A personagem central de *Crime e castigo* consegue pensar muito no seu crime em comparação com os mortos causados pelas guerras napoleônicas. O que seria, de fato, a tal da consciência?

Para eu ser entusiasmado (palavra de origem grega que significa "ter Deus dentro de si"), preciso ter muita esperança no futuro, certeza do caráter positivo do desenlace da minha história, otimismo, aposta em sentimentos pios e de felicidade. Apaixonados (especialmente na primeira vez) exibem esse entusiasmo. Religiosos convictos também são tomados da presença de algo maior que garante: eu posso ter dificuldades aqui, mas a vitória será minha no final. Hamlet não é um religioso denso, ainda que faça muitas referências ao interdito divino ao suicídio. Ainda que diga no ato seguinte, cena do enterro de Ofélia, que a amou mais do que tudo, o comportamento dele não é o de um apaixonado. Você ama de forma incrível sua garota e mata o pai dela sem nenhum problema? Haveria dúvidas sobre a sinceridade do seu afeto.

O grau da consciência do príncipe vai ser demonstrado de forma intensa em dois momentos do Ato III. Quando ele faz o famoso monólogo e quando questiona a atitude da mãe, mostrando que o desejo deve ser afastado, na concepção dele, quando existe coerência de princípios. A consciência "nos torna covardes", diz o dinamarquês. Por quê? Saber as implicações de toda escolha, saber que para achar perfeito um candidato político ou um time ou meu filho é preciso ser cego para outras questões. A coragem é frequente e intensa em quem desconhece os riscos. O entusiasmo acompanha a ingenuidade. O amor cega com intensidade. A consciência profunda coloca brechas em todas as minhas predileções. Uma pessoa com menor capacidade de entender as questões envolvidas nas suas escolhas, capaz da clássica má-fé que seria atribuir a terceiros suas escolhas ou mazelas, possui maior facilidade em atenuar sua análise. A certeza acompanha a fragilidade mental com frequência. Descer ao fundo da sua dor ou estudar sua alegria são movimentos que costumam conduzir a uma diminuição do caráter protagonista desses sentimentos. Ofélia é inteligente em vários momentos, porém incapaz de lidar com o abandono do namorado e a morte do pai. Ofélia enlouquece e Hamlet finge loucura. Ofélia se mata ou "deixa-se morrer" porque os dados concretos da dimensão trágica da vida a superam. Ofélia enlouquece. Hamlet passa a peça atrás dos dados concretos. Hamlet vai aumentando a clareza da sua mente.

A experiência de dissecar cada fibra da alma é ferramenta para estimular a consciência. É possível também que o ato de desmistificar tudo, destrinçar qualquer coisa, identificar os impulsos reais disfarçados de amor e ódio, tenha, como efeito colateral importante, diminuir a própria intensidade das paixões e racionalizar mais. O príncipe pensa muito e o príncipe é triste.

Voltemos à tristeza de Hamlet. Os diretores de almas da época da escrita do *Hamlet* tinham uma ideia muito forte. Inácio de Loyola, fundador dos jesuítas, acreditava que a tristeza aguda ou o entusiasmo eram conselheiros difíceis. Uma certa isenção, um afastamento, uma capacidade de certa "indiferença" interna seria um indicativo de maior liberdade e mais abertura ao racional equilibrado da escolha. Lágrimas de dor nublariam a visão exata. Gargalhadas viçosas traçariam um quadro equivocado. Seria algo entre os dois polos, nem entrega ao desespero, nem espocar de fogos de artifício. Hamlet tem uma crescente indiferença dada pela consciência, capaz de controlar seu impulso assassino diante do tio em oração, pois acredita que eliminar seu inimigo ali seria conduzi-lo ao Paraíso. A frieza meditativa do dinamarquês indica seu afastamento. Sua ironia mostra que não se dilui na corte. Muitas pessoas sentem-se assim quando atacadas por depressão: um isolamento diante do contato humano. Além da depressão, existe a própria consciência que também impede alguém se diluir com intensidade no mundo social. Hamlet faz parte de um banquete, porém não come e não bebe.

Claro que Hamlet está muito triste, todavia suas decisões claras para elucidar o crime e se vingar nascem do controle da tristeza. Aprendemos a admirar o afastamento do herói de "ser ou não ser".

A melancolia deu liberdade ao príncipe e da liberdade ele gesta uma estratégia eficaz. Sim, houve efeitos colaterais, mas quem controla quase tudo é Hamlet. Hamlet não precisa de discursos motivacionais, pois ninguém pode dar a ele o sentido que já possui. Hamlet é livre, e quem é livre nunca necessita ouvir que precisa vestir a camiseta de algum lugar. Hamlet é melancólico, e nem por isso deixa de agir. Como Shakespeare domina o caráter reflexivo da fala, diferente dos filmes atuais, ele desenvolve muitas reflexões, talvez excessivas para o gosto contemporâneo. A fala das peças do bardo condicionam as ações e nada é feito sem voltas e pensamentos. Ao contrário do que possa parecer, é exatamente pelas voltas que Shakespeare é Shakespeare.

A loucura nos grandes exige vigilância

Cláudio determinou que Hamlet fosse morto ao chegar à Inglaterra. Descoberto o plano, Hamlet conseguiu que dois ex-amigos fossem condenados em seu lugar. A motivação de Cláudio era central na sua trama: se ele fosse descoberto, seria deposto e condenado à morte. Hamlet não precisava ter conduzido Rosencrantz e Guildenstern à pena capital. Ele levou também sua ex-namorada ao suicídio, sua mãe à morte, e seu quase cunhado de forma direta ao fim. No Ato I ele recebeu uma missão do fantasma: resolver e punir um crime, com advertência expressa de não tocar na mãe. No final do Ato V, a ficha policial de Hamlet inclui sete assassinatos, três de forma direta como autor (Cláudio, Laertes e Polônio) e quatro de forma indireta em meio a suas maquinações (Ofélia, Gertrudes e seus dois ex-amigos). Qual seria aqui, caro leitor e querida leitora, a consciência tão afamada da personagem? A paixão de Gertrudes a levou a dormir com dois homens. Com os dois ela foi apaixonada e teria feito tudo dentro dos laços jurídicos e religiosos do casamento. A fúria de Hamlet fez com que ele levasse sete pessoas à morte. Quem seria o mais consciente? Com sete crimes o príncipe já seria um *serial killer*?

A consciência do príncipe mostra suas rachaduras. Ele é capaz de controlar a vontade de matar o tio quando está rezando. Domestica seu ódio, segura a mão, preserva o assassino naquele instante para intensificar sua punição em outro. Poucas cenas adiante ele se enfurece com Laertes durante o duelo e mata o rei num ataque de fúria. Hamlet é contraditório, como você e eu. Ele é um herói com traços de vilania. Cláudio era um vilão capaz de amar Gertrudes. Polônio era um adulador tedioso que dá conselhos sábios ao filho. São poucas as personagens com princípios constantes. O maior exemplo é o melhor amigo do príncipe, Horácio. Mais um argumento a favor do amigo: o rei tentou comprar quase todos para saber o que o príncipe pensava e não existe registro de que o melhor amigo tenha recebido oferta. Se Cláudio nem tentou, é provável que isso deponha a favor de Horácio. Até

Ofélia foi usada como isca. Rosencrantz e Guildenstern viraram traidores oficiais. Curiosamente, Horácio é uma personagem opaca, um suporte aos diálogos do príncipe.

Quando a insanidade do príncipe, clássico esquema de peças ditas "de vingança", fica evidente, o rei Cláudio diz que a loucura dos grandes precisa ser vigiada. Pode parecer estranho, porém Cláudio revelou-se um rei hábil ao tratar com embaixadores logo no Ato I. Seu irmão guerreava, e o assassino negociava. Da mesma forma, sabendo dos danos ao Estado (e talvez ao seu segredo criminoso) que a demência de um notável possa causar, o rei Cláudio emite uma frase de ponderação sábia. Essa é outra questão fascinante que apontamos na obra do inglês: suas personagens raramente são homogêneas. Hamlet é protagonista e capta nossa benevolência, porém também assume a persona de um assassino eficaz. Cláudio é fratricida e regicida, não obstante bom rei, talvez melhor do que seu irmão. Também é genuinamente apaixonado por Gertrudes e premia seus assessores com benefícios e consideração. As personagens shakespearianas são como você e eu: apresentam momentos sublimes, reflexões sábias, dias de cão, gestos de maldade e oscilações de sentimentos. "Todo o mundo é um teatro", diz o autor na peça *Como quiserem*, e nós somos atores com entradas e saídas. A vida é um teatro no qual autores e diretores externos contracenam com nosso próprio papel em entrelaçamento de capacidades e acidentes de sorte e azar. Todos fingimos, porém Hamlet é o único que tem consciência disso.

Ser ou não ser: eis a questão

No Ato III ocorre o famoso monólogo. Hamlet faz dezenas de reflexões solitárias na peça, mas o "ser ou não ser" é o mais famoso trecho teatral de todos os tempos. Pela importância do texto, vamos relembrar a fala:

Ser ou não ser, essa é que é a questão:
Será mais nobre suportar na mente
As flechadas da trágica fortuna,
Ou tomar armas contra um mar de escolhos
E, enfrentando-os, vencer? Morrer – dormir,
Nada mais; e dizer que pelo sono
Findam-se as dores, como os mil abalos
Inerentes à carne – é a conclusão
Que devemos buscar. Morrer – dormir;
Dormir, talvez sonhar – eis o problema:
Pois os sonhos que vierem nesse sono
De morte, uma vez livres deste invólucro
Mortal, fazem cismar. Esse é o motivo
Que prolonga a desdita desta vida.
Quem suportara os golpes do destino,
Os erros do opressor, o escárnio alheio,
A ingratidão no amor, a lei tardia,
O orgulho dos que mandam, o desprezo
Que a paciência atura dos indignos,
Quando podia procurar repouso
Na ponta de um punhal? Quem carregara
Suando o fardo da pesada vida
Se o medo do que vem depois da morte –
O país ignorado de onde nunca
Ninguém voltou – não nos turbasse a mente
E nos fizesse arcar co'o mal que temos
Em vez de voar para esse, que ignoramos?

Assim nossa consciência se acovarda,
E o instinto que inspira as decisões
Desmaia no indeciso pensamento,
E as empresas supremas e oportunas
Desviam-se do fio da corrente
E não são mais ação.

Poderíamos elencar uma lista de obras que se debruçaram sobre o conteúdo da fala. Vou me apegar a um eixo. Diante das mazelas do mundo, é melhor tentar corrigi-las ou seguir em frente sem esperança de que algo possa ser feito? A luta é a melhor estratégia ou devo me resignar com as coisas como elas são? De muitas perguntas, essa é a que mais me toca.

O mundo está sempre imerso em erros, do "orgulho dos que mandam" até a "lei tardia". A melhor estratégia é o combate ou aceitar a natureza humana e sua vocação irrefreável para o erro? A crença na perfectibilidade do mundo, sua capacidade de melhorar, anima os grandes santos e filantropos da nossa história. Há várias maneiras de reforçar o sentimento, desde a crença numa missão divina que, independente da redenção ou não do planeta, causará minha salvação. Isso é forte nos monoteísmos tradicionais: estou inserido num plano maior e jogo minha pequena parte com maestria e submissão ao Altíssimo. Tudo faço e n'Ele confio. Mesmo em tradições religiosas muito distintas como a hindu, o trecho fundamental do diálogo de Krishna e o guerreiro Arjuna (o Bhagavad-Gita inserido no épico *Mahabharata*) é para estabelecer a necessidade de cada um fazer o melhor dentro da sua casta e do seu carma para executar as tarefas. O resultado é menos relevante para todas as tradições citadas do que o esforço e empenho em realizar o que é correto.

Ao guerreiro cabe guerrear bem e não avaliar se vai ter sucesso ou não.

Ocorre algo parecido na experiência medieval católica: não importa que eu falhe na tentativa de libertar Jerusalém, lutar na cruzada já me garante o Paraíso. É irrelevante que os maus destruam meu orfanato ou hospital de caridade – Deus recompensará minha tentativa de melhorar o mundo. A resposta para o dilema do "ser ou não ser" é muito clara para a maioria das religiões. Devo fazer muito, Deus dará força para a luta, porém o sucesso depende d'Ele e não de mim. Caso o êxito não ocorra, Deus continuará valorizando minha luta positiva pelo bem, minha reta intenção e meu propósito elevado.

Hamlet crê em Deus, mas não é um religioso de fato. Acredita, porém não molda toda sua vida pelos preceitos divinos. Cita a interdição divina ao suicídio e comenta, de forma contraditória, que nunca alguém voltou dos mortos (lembre-se de que ele já falou com o fantasma do pai, logo, alguém que voltou do "país ignorado"). Se o dinamarquês tivesse certeza de uma fé na obra de Deus e da condução divina dos negócios dos homens, nunca faria o monólogo. A sua dúvida está do outro lado. Se ele nada fizer, se ignorar o regicídio e simplesmente deixar o tempo passar, herdará o trono de forma tranquila e pode, pelo menos no plano do controle da memória histórica, declarar o tio um assassino covarde e apagar sua memória da crônica real. Ninguém sairia ferido, a vingança seria um golpe simbólico e a inação teria êxito. Mais intenso: o cristianismo manda perdoar sempre, o julgamento pertence ao Criador e não à criatura. Seja pela *Realpolitik* maquiavélica de esperar e obter o melhor, ou pelo perdão do Sermão da Montanha, tudo seria mais eficaz. Hamlet ignora as duas possibilidades.

Diariamente, nossa vida pacata e menos épica do que a do príncipe conduz a decisões similares em matérias menos elevadas. Devo tocar naquele ponto delicado que me incomoda na atitude da minha/meu companheira/companheiro? Se eu trouxer o bode para a sala vai azedar muita coisa e talvez eu crie uma fissura na relação. Porém, a atitude continua me incomodando. Vejo alguém sendo assaltado e penso: se eu fizer uma intervenção, há risco de morte para mim; se eu me calar, saio ileso. Ser ou não ser? Lutar ou não lutar? O sucesso da vida estaria ligado à capacidade de enfrentar tudo com altivez, à disposição de relevar tudo ou à sabedoria de alternar momentos de luta com ocasiões de "engolir sapos"? Vence o diplomata ou vence o guerreiro? Vence o santo ou o maquiavélico na acepção popular do termo? A felicidade é maior em países que enfrentaram todas as guerras da Europa, como França e Alemanha, ou em terras de quem evita o conflito há séculos, como a Suíça?

Hamlet admira quem não é dominado por paixões. Sem dúvida ele deixou de se admirar nas muitas vezes na peça em que perde a cabeça, como na patética luta na tumba de Ofélia. O monólogo é uma enunciação sem paixões, reflexiva e sincera, analisando hipóteses díspares e olhando para si e para o mundo e, acima de tudo, para o embate do eu com o mundo. Sempre detestei as montagens teatrais nas quais o ator emposta a voz solene e enuncia os versos com dramaticidade, pior ainda se segurar uma caveira. Concordo com Harold Bloom que o trecho não é um ruminar de questões em torno do suicídio. Para mim, o monólogo é um projeto de vida e não de morte, um plano estratégico. O resto da peça é um desenvolvimento das duas atitudes: Hamlet ora ignora, negocia, foge e adia decisões, ora ataca diretamente e mata. No embate de "ser ou não ser", o príncipe "foi e não foi". Não perdoou nem ignorou a ordem do espectro paterno, criou seu caminho, que atingiu o resultado com grandes danos.

Quando agir e quando calar? Não há fórmula. Se houvesse, Hamlet estaria na prateleira de autoajuda e não nos clássicos da literatura mundial. Seu drama está em saber por que a decisão vigorosa de outrora empalidece com a sucessão dos dias. Por que somos tão sábios ao decidir começar a estudar inglês, ingressar numa academia de musculação, ler uma obra clássica, guardar dinheiro e... passados dias, semanas ou meses, empalidece o vigor e vamos desistindo de quase tudo? O que manteria o viço da acertada decisão diante do desgaste dos dias? Hamlet não oferece um conselho; ele é um estudante de Wittenberg, um filósofo, e não um homem de respostas. Hamlet é o príncipe da Dinamarca e o rei das perguntas. Filosofar é mais perguntar do que responder. Na pergunta está a dúvida sistemática que desmonta dogmas e sistemas sólidos e dá origem ao gesto humano de criar certo distanciamento perspectivo, mesmo em relação ao sagrado e ao histórico. O texto mais famoso da dramaturgia mundial continua com seus mistérios, como toda obra clássica.

O monólogo também reflete o que provoca a consciência (aquela que nos torna covardes) como percepção de múltiplos fatores que tendem a aplainar as posições polarizadas. No fundo, entendo motivos em ampla perspectiva, vamos diluindo os sistemas morais e percebendo mais similaridades do que diferenças. A consciência enfraquece a certeza, que precisa de menos análise para existir. A consciência densa entristece o príncipe e provoca melancolia. Vamos a ela.

A melancolia de Hamlet é um dos grandes eixos narrativos da obra máxima de Shakespeare. Parecendo louco ou triste, o jovem está encenando para saber mais detalhes da trama que levou seu pai à morte. O modelo da peça é a tragédia de vingança e a insanidade representada é um recurso clássico. Sabemos que Hamlet não é louco. A insanidade é fingida, seria a melancolia verdadeira? Representar a personagem de preto ou associada a uma caveira (na cena dos coveiros, que veremos no Ato V) é um recurso teatral comum e antigo. Ninguém imagina o "ser ou não ser" sorrindo ou sequer sereno. São palavras densas, reflexões que envolvem vida e morte, sentido e existência: nada de mostrar os dentes como se fosse em situação hilária. O monólogo mais conhecido de toda a literatura ocidental é denso. Seria melancólico?

No momento em que a peça foi escrita, melancolia era um estado distinto do que chamamos de depressão no século XXI. Ao contrário da atual moléstia, a melancolia não era vista como carência de um elemento químico ou uma atividade que pudesse ser tratada pela ainda inexistente psicanálise. Melancolia poderia estar associada às influências nefastas do planeta Saturno. Assim o pintor Albrecht Dürer representou o conceito em famosa gravura renascentista (*Melancolia I*, 1514). Esse também era o diagnóstico para o imperador Rodolfo II (1552-1612), do Sacro Império Romano Germânico, célebre pela melancolia incurável. Para os médicos que ainda seguiam a teoria dos humores, a melancolia era fruto da bílis negra em excesso (associada ao elemento terra).

A melancolia como tristeza contínua era considerada pecado, associada à preguiça (acédia) e à falta de vontade de fazer coisas virtuosas e produtivas. O cristianismo está embasado numa boa-nova: o Evangelho. A boa-nova deve provocar imensa alegria. O cristão (como Hamlet) nunca poderia ser deprimido. A tristeza é demoníaca; a alegria, divina. Hamlet era um pecador que não entendia o valor da salvação divina ou sua missão na Terra?

Voltemos à melancolia. Um dos opostos ao sentimento profundo da tristeza é o entusiasmo, estar possuído por algo sagrado, um bafo do divino, como já vimos. Pessoas envolvidas em grandes causas, uma revolução ou a construção de uma nova sociedade, em geral, são entusiasmadas. Trata-se de uma paixão. A intoxicação psíquica das paixões é inebriante, quase um opiáceo. Deixamos de ter preguiça, as dores ficam atenuadas, o tempo voa, a vida parece ter sentido e uma causa move nossos impulsos para a frente. Os entusiasmados são, em geral, monotemáticos, muito determinados e ligeiramente cansativos. Hamlet não pertence à equipe motivacional de Elsinore. Ele é metódico na busca, quase exultante por vezes (no final da encenação da peça na corte, por exemplo), mas raramente é marcado pelo entusiasmo. A melancolia na teoria dos humores provoca espírito analítico.

Se nós considerarmos que a meta inicial do protagonista era elucidar o crime e punir o criminoso, Hamlet é um *case* de sucesso. Alguém poderia identificar um excesso de efeitos colaterais para atingir metas, mas o relatório final seria "missão cumprida".

Vamos trazer, para fins retóricos, o príncipe dinamarquês para o universo atual corporativo. "Minha missão", diria o dinamarquês na reunião da equipe, "era desvendar um crime grave e punir o assassino". Bem, tudo isso foi atingido em pouco tempo. Sua palestra faria muito sucesso: "Como eliminar o CEO não ético e implantar novo sistema administrativo." Ele obteve a clássica vitória de Pirro, referência a uma conquista com custo excessivamente alto. Pior, uma vitória de Pirro com a morte do próprio Pirro, ou seja, Hamlet.

Pediram ao Hamlet corporativo uma fala motivacional, que deixasse os funcionários ligados nos objetivos e nas virtudes do trabalho em conjunto. Foco nos resultados, olho nas metas, a alegria do trabalho estratégico e bem realizado. "Precisamos", teria dito o encarregado do *briefing* da palestra, "de uma equipe com sinergia". "Sim", pensaria Hamlet, "é o que todos queremos em casa, na empresa, na escola e até no leito real da Dinamarca". Casa cheia, diretoria na primeira fileira, o loiro príncipe iniciaria sua fala com os agradecimentos usuais ou alguma piadinha para quebrar o gelo. Contaria, talvez, que estava vindo para a palestra quando conversou com dois coveiros e repetiria as cínicas e divertidas conclusões dos únicos trabalhadores simples que têm voz na peça. Talvez focasse no coveiro principal, já que foi a personagem que o enfrentou. Se fosse bem preparado para o momento, lembraria que, mesmo tendo nascido príncipe privilegiado, foi para a faculdade e fez coisas que mostravam seu empenho, esforço e capacidade de empreendimento.

Então chegamos ao corpo central da palestra. Sua missão delegada pelo contratante? Animar! Estimular! Agregar valor! Trata-se de evento motivacional. Hamlet murmuraria algo irônico sobre ser um *cheerleader*, um chefe de torcida sofisticado com pompom colorido na mão. Como poderia ser a palestra de um homem com tal grau de compromisso com o real e a verdade? Para a compreensão do item melancolia, tema do capítulo, vamos nos entregar a essa ficção dentro da ficção. A palestra do príncipe Hamlet poderia ser assim:

"Caros funcionários da empresa Elsinore. Fui chamado para um evento motivacional. Pediram-me que enfatizasse o espírito de equipe, a humildade, a colaboração, o foco nas metas e a estratégia como caminho. Bem, é lógico que os donos da empresa (meu tio etc.) querem isto porque, quanto mais motivado for o colaborador/cortesão, menos demandas financeiras ele fará e mais produtivo ele será. Minha função é atenuar a exploração que vocês sofrerão no ambiente competitivo de agora, nessa máquina de moer carne que nossa empresa se transformou. Absorveremos toda sua energia para jornadas extenuantes que só serão possíveis com a droga do entusiasmo, com a pomada da euforia e o linimento da festa da firma. Assim, todos serão levados a crer que seu esforço beneficiará os que se esforçam. Dessa forma, depois de darem seus melhores anos aqui na Elsinore, vocês serão descartados porque com a idade não conseguirão mais manter o ritmo opressivo das metas, dos horários e as demandas impossíveis de serem atendidas. A cada cinco anos um de vocês será muito bem pago ou promovido para que todos imaginem que o benefício é possível para todos. Por fim, minha principal tarefa hoje é convencê-los de que o único inimigo está dentro de vocês. Encontramos esta solução extraordinária: a cada um que for caindo diante de metas impossíveis, teremos a certeza reforçada por constantes eventos e palestras de que ele fracassou por falta de empenho, e não porque o sistema só funciona com o fracasso da maioria. Se no mundo dos escravos o feitor precisava de chicote forte para forçar o trabalhador, hoje descobrimos que o melhor feitor é a internalização do repressor em cada elemento da nossa empresa. Para tornar ainda melhor, enfatizarei como somos uma família, como estamos juntos, como o nosso CNPJ é a reunião de CPFs individuais. Para isto fui contratado: ser o óleo que lubrifica a engrenagem destruidora chamada sistema."

Imaginem a cena. Silêncio brutal na plateia. Os gritinhos do início no anseio de fala inspiradora virariam muxoxos, gente espantada, diretoria irritada e, por fim, até vaias. Hamlet cometeria o famoso "sincericídio" e teria deitado fel no púlpito para o qual fora contratado como fonte de dulcíssimo mel.

A primeira acusação ao príncipe seria de socialismo, de não acreditar no esforço pessoal e na meritocracia, chave de todo sistema atual. "Vai para Cuba" poderia ser um grito à queima-roupa durante a palestra, ainda que, na Idade Média, nosso dinamarquês desconhecesse a ilha do Caribe. Mas a melancolia do nosso herdeiro não tem relação nem vaga com sistemas políticos e sociais. Em ambiente socialista, ele faria denúncia similar com outras cores. O protagonista não tem partido ou lado. A palestra hamletiana, primeira e única da sua carreira meteórica, erraria por desvendar mais do que ocultar relações sutis. Ele olha para o que ocorre e diz o que está ocorrendo. Nada mais revolucionário e consciente. Abrindo mão da utopia romântica sobre o mundo, resta ao príncipe o olhar da Medusa que tudo petrifica, pois cada um olha para si ao ver o rosto do monstro mitológico. Quem resistiria à verdade? Quem enfrentaria o real? Gastamos muito tempo e dinheiro para evitar a desagradável aparência do verdadeiro. O perfume disfarça o cheiro real do corpo; a roupa esconde mais do que revela; o *photoshop* muda a aparência; remédios disfarçam o real do cansaço ou da falta de desejo; e, por fim, as palavras encobrem a disposição sincera. Criamos redes sociais e até terapias para que o real nunca nos atingisse. Quem pode olhar a Medusa nos olhos e sobreviver?

O monólogo tem um traço de modernidade. Estavam sendo partidos os discursos abrangentes da religiosidade medieval. O mundo teocêntrico dos séculos anteriores estabelecia Deus como causa primeira e o Ser que confere sentido a tudo. Hamlet se pergunta pelo sentido. O que nos faz resistir? As respostas imediatas são as fáceis: eu sigo adiante por causa de Deus, eu me movo em função da família, eu estabeleci uma meta e chegarei a ela etc. E se tudo fosse uma capa, um véu que encobrisse a falta de sentido e a inutilidade do esforço? Se estivéssemos convencidos de que podemos fazer uma imensa opção contra a corrupção e ela assim mesmo voltasse com outros agentes e energia redobrada? Se pensássemos que, no fim, tudo se desmancha, que a pessoa que berra nas redes sociais em defesa do seu político está, na verdade, transmutando sua angústia sexual e seu medo para o campo da polarização política?

Há uma solução comum para esse drama: viver cada momento como único e não se angustiar pelos grandes sentidos. Trata-se de uma resposta que flerta com o budismo. Posso conviver com a exata falta de sentido, ou minha autonomia em conferir sentido às coisas, inventá-los. Essa postura seria simpática ao existencialismo de Sartre. O mundo pode ser corrigido? Talvez, pouco, e tende a voltar ao ponto de partida. Hamlet quer a vingança, e o custo de um crime é a multiplicação de crimes e a chegada de um poder estrangeiro no final. A realidade foi ainda mais pessimista: ao tentar gerir a vingança, ele aumenta a tragédia matando toda a casa real da Dinamarca. Ao honrar a memória do pai-guerreiro que vencera o rei de outro país, ele colabora para a chegada do filho do rei derrotado ao coração de Elsinore. No final, apenas um vencedor: nós, que ganhamos o texto mais intenso do teatro mundial.

A vida parece não ter muito talento para ser especial, todavia a arte a salva. Os elogios de Hamlet aos atores, seu entusiasmo com a arte de representar parecem reforçar isso. A arte é um grande sentido, inventado, claro, mas forte, existencial, orgânico e denso. O mundo é um teatro, Shakespeare dirá em outra peça (*Como quiserem*). O príncipe entendeu cedo: a representação da vida é mais densa do que a vida em si. Afinal, não estamos trazendo nossas almas para o divã ao ler o *Hamlet*?

O perdão, para que serve senão para confrontar o semblante do crime?

Gertrudes seria escrava da paixão e isso a levou à morte? Temos de lembrar que a paixão da rainha talvez tenha sido virtude quando desposou o pai de Hamlet. Se o filho lembrou que o marido anterior era muito zeloso com ela (cena do quarto) e que era, também, bonito e forte (modelo de um Hércules), devemos supor que os outros percebiam um enlevo romântico e sexual de cuidados e desejos no primeiro casamento da rainha. Gertrudes era virtuosa quando se entregou ao primeiro marido e uma devassa quando fez o mesmo com o segundo? Para Hamlet, sim, pois para ele a inconstância é própria do feminino. Gertrudes se entregava ao que queria. Gertrudes era uma mulher apaixonada e que tinha genuíno desejo sexual pelos seus maridos legítimos: em tratados de virtudes familiares ela seria elogiada. Para Hamlet, não. Para piorar, sabemos que o pai de Hamlet viveu sempre em guerras e que a paixão do tio é antiga; logo, uma revista de fofocas medievais traria à tona a possível semelhança física entre Hamlet e Cláudio. Seria curioso desenvolver a tensão central da peça como a morte do pai que Hamlet gostaria de ter tido pelo pai real que ele abominava ter.

Se Gertrudes se entrega às relações, e Hamlet as nega para atingir seus objetivos, a ação não o tornaria mais consciente, porém mais manipulador. Afinal, o que tornaria o príncipe superior na consciência de si e dos outros? Vamos aprofundar as contradições.

A diferença ética já aludida entre Hamlet e Cláudio é que o rei mata para manter o poder e Hamlet mata em nome da sua busca pelo autor de um crime e da sua vingança. Tirante o objeto da sua paixão homicida, ambos são muito parecidos. Cláudio matou seu irmão pelo desejo de poder e de tomar Gertrudes. Hamlet matou Polônio de forma fria, supondo que eliminava o usurpador. Descoberto o engano, demonstrou indiferença chocante e cinismo exacerbado. Fez seu próprio julgamento e determinou que seu quase sogro morria por escutar muito e ser, no fundo, um rato fofoqueiro. Nenhum código penal do mundo previa pena de morte por fofoca naquela e na nossa época. O castigo excessivo nunca trouxe remorso ao protagonista. Mais uma contradição. No monólogo ele lembra que o suicídio é interditado por Deus. Ele sabe que o homicídio também. Hamlet evita se matar, mas não hesita em matar três pessoas em ataques de ódio. As ordens divinas foram ouvidas seletivamente.

Os dois medalhões ou "eu devo ser cruel para ser honesto"

A cena do quarto é uma das mais densas da peça. Hamlet acaba de encenar o assassinato do pai diante do tio. O efeito foi uma crise de angústia profunda no fratricida. Subindo ao quarto da mãe após a peça, ele vê seu inimigo rezando e reflete que seria ruim eliminá-lo ali, pois na teologia enviesada de Hamlet matar alguém rezando seria conduzi-lo ao Paraíso, enquanto seu pai foi eliminado em plena floração dos seus pecados. Se pensasse diferente, o príncipe teria eliminado o usurpador durante a prece e assumido o trono da Dinamarca. A peça terminaria no fim do Ato III, tendo menos vítimas e danos.

Hamlet encontra sua mãe e Polônio ouve atrás da cortina. Durante o encontro, o fantasma aparecerá pela última vez e sabemos que, ao contrário das muralhas de Elsinore, onde vários o viram, aqui só ele consegue perceber o espectro. Nada divisando no escuro, sua mãe acha que delira falando com o vazio. Se a primeira aparição tivesse sido assim, teríamos mais elementos para apostar no fantasma como um devaneio.

O diálogo de Hamlet é para açular a consciência da rainha (ou criar alguma). Compara nos medalhões as imagens do rei finado e do atual. Ressalta como são distintos em desfavor do tio. Como a mãe pode ter escolhido alguém tão inferior? Pior, se pela idade os clamores da carne já deveriam ter se acalmado, não pode ter sido a luxúria que a empurrou para outro marido. Muitas peças e filmes mostram Gertrudes e Cláudio como tomados pelo fogo da paixão sexual. O texto de Shakespeare não desenvolve o tema. Cláudio é quase sempre polido nas palavras, astuto, elegante. A imaginação do príncipe fala muitas vezes da paixão incestuosa que conspurca o leito real da Dinamarca. Seria realidade ou ciúmes de filho? Aqui temos material para uma leitura psicanalítica de complexo de Édipo. Harold Bloom adverte que nunca devemos ler Shakespeare à luz de Freud, e sim Freud à luz de Shakespeare, pois o maior explica o menor.

Na cabeça do filho a mãe se entrega ao prazer carnal. Por que ela faria tal coisa se está mais velha e se tinha um marido tão melhor antes? O diálogo começa muito moral, condenação ciumenta do primogênito contra a mãe. Depois, Hamlet evolui para uma consciência dos desejos, uma capacidade de observar o controle e o descontrole de si por meio da crítica interna. Gertrudes é convidada a ver o espelho das suas escolhas, como se fosse a personagem de *O retrato de Dorian Gray* (Oscar Wilde). Assim como a personagem da obra fica sempre jovem e seu retrato envelhece com a idade e com as maldades praticadas pelo retratado, Gertrudes era alguém que se imaginava moral. Como já foi dito, casou duas vezes sem, ao menos que se saiba, ter traído seus maridos. Casou e foi esposa exemplar, mas a rapidez do segundo casamento é motivada pela combinação do desejo físico dela com a ambição de Cláudio. Aqui jaz um mistério nunca resolvido: em todas as regras dinásticas europeias, Hamlet era o rei natural. Maior de idade, homem, filho único: a morte do velho rei o tornaria, automaticamente, o soberano em Elsinore. Curiosamente, o grande problema de Hamlet era o crime do tio e não a coroa em si. Cláudio declara o sobrinho seu herdeiro, algo desnecessário. As grandes tramas de Shakespeare são políticas e envolvem poder. Hamlet tem muitas frases políticas, mas o desafio está na questão pessoal. Para a mãe ele usa a frase cortante: "Eu devo ser cruel para ser honesto." Sim, sempre existe crueldade na verdade e a doçura das desculpas que criamos para nós e para os outros é sempre mais suave.

O espelho que o filho mostra à mãe é terrível. A experiência de olhar-se sem desculpas, subterfúgios, atenuantes ou autocomiseração é para poucos. Somos experientes em detectar um erro em nós e começar, imediatamente, o exercício de explicar positivamente nossa ação. Hamlet encurrala a mãe e a obriga a se ver com crueza. Ele deixa de ser um psicanalista lacaniano que deseja encontrar questões relevantes no próprio discurso do paciente e fica mais próximo do "joelhaço" consagrado em *O analista de Bagé* (Luis Fernando Verissimo). O drama encerra com o pedido significativo para a interpretação freudiana: Hamlet pede que a mãe não mais se deite com Cláudio.

Todo nosso esforço na jornada pessoal é encontrar formas de dar um sentido bonito, uma capa dourada, uma pátina de dignidade ao nosso ser e a nossas atitudes. Minha vileza, minhas incoerências, minhas lacunas de conhecimento e falhas de caráter devem ser sociologizadas, historicizadas e contextualizadas. Eu fiz assim porque todos faziam naquela época. Eu fui duro para seu bem. Eu não li tal coisa, porém li outras. Eu falhei com você porque, em primeiro lugar, você falhou comigo. O que aconteceria se eu olhasse diretamente para mim, sem subterfúgios e sem máscaras? Quem sobreviveria a si ou à verdade alheia?

Várias vezes na peça o príncipe diz que à noite ele faz coisas que, durante o dia, o empalideceriam de reprovação. Ele parece ter consciência de seus dramas interiores, da máxima de Ortega y Gasset: eu sou eu e minhas circunstâncias. Hamlet nunca se declara um paladino do bem ou irrepreensível guardião da moral. Talvez isso o aproxime de nós. A consciência de Hamlet claudica, porém existe. No lusco-fusco do mundo Hamlet tem sombra e também luz. Mesmo o pai que ele tanto admira diz estar sofrendo porque não tinha purgado seus muitos pecados. Os heróis do príncipe também são falhos e, mesmo assim, são amados por ele. Na peça inteira ele fala do amor ao pai, de quanto viveu alegrias com Yorick, que gostou de Ofélia, elogia um coveiro pela astúcia e admira a lealdade de Horácio. Por vezes oscila, mas parece gostar da mãe. Fecha-se o círculo dos seus afetos. Seu desprezo por Polônio, sua indiferença com Rosencrantz e Guildenstern e seu ódio a Cláudio nascem da falsidade dessas personagens. Hamlet quer que todos olhem suas ambiguidades e que não sejam o que não são. Curiosamente, o príncipe segue o conselho de Polônio ao filho Laertes: quem é sincero consigo não será falso com os outros. Mesmo quando finge loucura, o dinamarquês não abandona sua consciência.

Casais conturbados

Numa tragédia de homens, num sistema patriarcal, as mulheres são meras coadjuvantes, à mercê dos homens. Lembremos que na Idade Média, de forma geral, os homens são pró-ativos, decidem, comandam; as mulheres são passivas, silenciosas, obedecem e também são disponíveis sexualmente. Nas classes superiores, pais, irmãos cuidam da castidade de suas filhas, irmãs a fim de zelar pelo bom nome da família e garantir alianças de casamento proveitosas. A virgindade é moeda de troca valiosa. Não se cogita sobre a vontade da mulher, sobre a sua felicidade. Laertes, preocupado, antes de partir para a França, advertiu a irmã, Ofélia, para que ignorasse os protestos de amor do príncipe Hamlet (Ato I, Cena 3):

Laertes — Quanto a Hamlet, e às suas gentilezas,
Deves tomá-las por brinquedo ou farsa;
Uma flor da primeira juventude,
Ardente, não fiel, doce e não firme,
O perfume e a brandura de um minuto,
Não mais.

Ofélia — Assim, não mais?

Laertes — Não penses nisso.
A natureza não se desenvolve
Apenas em volume; enquanto cresce,
O corpo, a alma e o espírito se estendem,
Crescem também. Talvez ele te ame
Agora, e não há mácula ou embuste
Que manche o seu desejo; mas cuidado:

Ele é um nobre, e assim sua vontade
Não lhe pertence, mas à sua estirpe.
Ele não pode, qual os sem valia,
Escolher seu destino: dessa escolha
Dependem segurança e bem do Estado;
Assim, o seu desejo se submete
À voz e ao comando desse corpo,
Do qual ele é a cabeça. Se ele afirma
Que te ama, cabe a ti acreditar
Somente no que possam permitir
A sua posição e a Dinamarca.
Pesa então o perigo da tua honra,
Se de crédulo ouvido ouves seu canto,
Se dás o coração e o teu tesouro
De pureza ao seu ímpeto incontido.
Teme-o, Ofélia; teme-o, irmã querida;
Conserva o teu tesouro de pureza
Longe do alcance e risco do desejo.
A jovem mais prudente ainda é pródiga
Se exibe os seus encantos ao luar.
Virtude não escapa da calúnia;
O verme fere a flor da primavera,
Às vezes antes que o botão desponte;
E no orvalho sutil da mocidade
São comuns os contágios que corrompem.
O medo é a melhor arma da virtude;
Pois o desejo engana a juventude.

Ofélia Guardarei a lição que me ofereces
Para me defender. Mas, meu irmão,

Não faças como às vezes os pastores
Que nos mandam, entre urzes, para o céu,
Enquanto que eles próprios, libertinos,
Vão na trilha de flores que nos perde,
Sem ouvir bons conselhos.

....

Laertes Adeus, Ofélia; e guarda para sempre
O que eu disse.

Ofélia 'Stá trancado em minha mente.
E só tu mesmo tens a chave dela.

O discurso de Laertes parece ponderado e cheio de receios pela provável ingenuidade e boa-fé da irmã. Ofélia aceita os conselhos do irmão, mas dá uma resposta inteligente em relação a ele próprio, seguir o que prega. Sua reação foi imediata e perspicaz, podemos até afirmar que ousou "pôr as manguinhas de fora", ignorando que no sistema patriarcal os homens são donos de seus corpos e de seus desejos, às mulheres cabe obedecer e guardar-se. Ofélia reitera que tudo o que foi dito pelo irmão será observado com cuidado. A jovem, porém, é vítima dos três homens principais de sua vida: Polônio, Laertes e Hamlet. Estimulada pelas palavras do irmão, não resistindo às ordens peremptórias do pai, teve que enfrentar o rancor, o desprezo do amado Hamlet e as acusações de perjúrio. Pobre Ofélia, doce, pura, crédula, joguete nas mãos dos homens que ama. Sem saber que Hamlet finge loucura para ganhar tempo antes de cumprir o que prometera ao finado rei, seu pai, ela acaba por ser considerada falsa, fraca e cúmplice dos ardis de Polônio. Imaginemos o desespero de quem ouviu do amante as seguintes juras citadas por Polônio ao ler a carta de Hamlet à filha para Cláudio e Gertrudes (Ato II, Cena 2):

> Celestial Ofélia, idolatrada de minh'alma,
> Formosa, mais que bela.
> Em seu marmóreo seio estás...
> Duvida que as estrelas tenham fogo
> Duvida que o sol tenha luz e ardor;
> Duvida da verdade como um jogo,
> Mas não duvides, não do meu amor.
> Querida Ofélia, eu não sou bom poeta e não tenho arte para traduzir meus gemidos. Mas que te amo mais que a tudo, oh muito mais, crê sempre. Teu para sempre, enquanto lhe pertencer esta máquina.
>
> Hamlet.

Depois, pressionada pelo pai, ao tentar devolver ao amado mimos, lembranças a ela ofertados (Ato III, Cena 1), recebe como resposta:

> Hamlet Não: não eu;
> Nunca te dei presentes.
>
> Ofélia Meu honrado senhor, sabeis que os destes;
> E com eles palavras tão suaves
> Que os tornavam mais ricos. Mas agora,
> Ido o perfume, recebei-os;
> Pois para um nobre espírito, os presentes
> Tornam-se pobres quando quem os dera
> Se torna cruel. Tomai-os, meu senhor.

Hamlet És honesta?

Ofélia Senhor?

Hamlet És também bela?

Ofélia Que quereis dizer, senhor?

Hamlet Que se fores honesta e bela, a tua honestidade não deveria admitir diálogo com a tua beleza.

Ofélia Poderia a beleza, senhor, ter melhor convívio do que com a virtude?

Hamlet Certamente, pois é mais fácil ao poder da beleza transformar a virtude em libertinagem do que à força da honestidade moldar a beleza à sua feição. Isto foi outrora um paradoxo, mas agora os tempos o provam. Eu já te amei um dia.

Ofélia É verdade, senhor; fizestes com que eu acreditasse que sim.

Hamlet Não devias ter acreditado em mim; pois a virtude não poderia ter inoculado tanto o nosso velho tronco que não restasse o gosto dele. Eu nunca te amei.

Ofélia Maior a minha decepção.

Ao supor que sua conversa com Ofélia está sendo ouvida, Hamlet é de uma crueldade sem-par. Onde está o inteligente príncipe, que não é capaz de entender que a donzela é frágil, incapaz de dissimulação e que está sendo usada pelo ambicioso pai? De que vale uma consciência sem limites, se não consegue separar o joio do trigo? É covardia atacar alguém que não sabe se defender, Ofélia não é páreo para Hamlet. Seria muito interessante verificar como o príncipe reagiria se tivesse de enfrentar em diálogos algumas personagens femininas de Shakespeare tão sagazes e inteligentes quanto Pórcia de *O mercador de Veneza*, Beatriz de *Muito barulho por nada* ou Rosalinda de *Como quiserem*. Com certeza elas prontamente descobririam que Hamlet estava representando, uma vez que gostava de teatro e era bom ator, além do mais, ao serem acusadas de infiéis, reagiriam com brilho ferino. Acima de tudo, não seriam marionetes nas mãos de um tolo Polônio, seriam cúmplices de Hamlet e... a história teria um outro final.

Bem, ainda em (Ato III, Cena 1), Ofélia passa de anjo, como era considerada por Hamlet, a quase prostituta:

Hamlet — Entra para um convento. Por que desejarias conceber pecadores? Eu próprio sou passivelmente honesto; mas poderia ainda assim acusar-me a mim de tais coisas, que seria melhor que minha mãe não me tivesse concebido.

....

Somos todos uns rematados velhacos; não acredites em nenhum de nós. Entra para um convento.

> ....
> Se casares, dar-te-ei esta praga como dote: sejas casta como o gelo, pura como a neve, não escaparás à calúnia.
> Entra para um convento, adeus. Ou se tiveres mesmo que casar, casa-te com tolo; pois os homens de juízo sabem muito bem que monstros vós fazeis dele. Para um convento, vai – e depressa; adeus.
> ....
> Tenho ouvido também falar muito de como vos pintais. Deus vos deu uma face e vós fabricais outra; dançais, meneais, ciciais, arremedando as criaturas de Deus, e mostrais vosso impudor como se fosse inocência. Vamos, basta; foi isso o que me fez louco. Digo-te: não haverá mais casamentos. Daqueles que já estão casados, todos, menos um, viverão; os restantes ficarão como estão. Para um convento, vai.

Ora, chegamos a duvidar do decantado amor de Hamlet por Ofélia. A donzela ignora a fingida loucura do amado. É provável que se sinta até culpada, pois o próprio pai está convicto que, ao se ver recusado por Ofélia, o príncipe enlouquecera. Em sua nobreza de caráter, a jovem perdoa e desculpa a vulgaridade, a agressividade e o desvario de Hamlet. Ao mandá-la repetidamente para um convento (quatro vezes), ele, na verdade, está usando a palavra "*nunnery*" com o sentido duplo que tinha na era elisabetana, além de convento, bordel, lugar de libertinagem. Mesmo conhecendo a delicadeza e a vulnerabilidade de Ofélia, ele a ataca de forma grosseira e implacável. É vulgarmente detestável. Mereceria uma bofetada! Observe o diálogo que tem com a moça pouco antes de começar a apresentação para a corte da peça *O assassinato de Gonzago*, à qual Hamlet acrescentou algumas linhas, para apanhar o tio (Ato III, Cena 2):

Hamlet	Permite a jovem que eu me recline em seu regaço? *(Sentando-se ao pé de Ofélia)*
Ofélia	Não, meu senhor.
Hamlet	Quero dizer, a cabeça em seu regaço.
Ofélia	Sim, meu senhor.
Hamlet	Pensavas que eu falava em bandalheiras?
Ofélia	Não penso nada, senhor.
Hamlet	É um belo pensamento, o deitar-se entre as pernas de uma donzela.
Ofélia	O quê, meu senhor?
Hamlet	Nada.

O diálogo parece apenas malicioso, mas, na verdade, é pleno de duplo sentido com palavras de baixo calão. No original em inglês, na época elisabetana, "*lap*" poderia ser colo, regaço, porém a plateia teria gargalhado ao entender que o príncipe estava se referindo, de forma indecorosa, ao sexo de Ofélia, ainda mais que havia o verbo "*lie*" (deitar-se), a preposição "*in*" (dentro) precedendo "*lap*". Ora, se o que ele disse fosse "limpinho", a donzela não teria respondido com um sonoro "*No, my lord*" ("Não, meu senhor"). Hamlet prossegue fesceninamente: "*Do you think I meant country matters?*", desta vez valendo-se dos vocábulos "*country matters*" que significam "coisas do campo", mas que o príncipe está usando para evocar pelo som "*cunt*" (extremamente obsceno, isto é, "bo----", o povo iletrado escreve em português em muros etc., com "bu"). A resposta de Ofélia é inteligente e objetiva, pois ela entendeu muito bem a que Hamlet se referia. Ao replicar, "*I think nothing, my lord*" ("Não penso nada, senhor"), ela fez um jogo de palavras com "*nothing*", uma vez que "*thing*" era "pênis" e com o determinador "*no*" na frente podia ser referência às "partes pudendas femininas". Portanto, ao dizer "Não penso nada, meu senhor", ela deixou entrever que estava ciente do que ele dissera. Não satisfeito ainda com as grosserias, ele continuou, "*That's a fair thought to lie between maid's legs*" ("É um belo pensamento, o deitar-se entre as pernas de uma donzela"). Ofélia, delicadamente, perguntou (como se não tivesse ouvido), "*What is, my lord?*" ("O quê, meu senhor?"). Hamlet ainda insistiu na vulgaridade: "*Nothing*" ("Nada"). Este não é um livro sobre discussões de tradução, mas seria impossível entender a riqueza de significados implícitos no original sem essas explicações. O problema para o tradutor em português é achar criativamente termos que tenham duplo sentido. Sem ser óbvio, às vezes isso é impossível.

Por que Hamlet foi tão agressivo com Ofélia? Na realidade, ele está despejando na jovem toda a decepção e a raiva que sente por sua mãe, Gertrudes, pois, segundo ele, ela traiu a memória, o amor e o respeito ao velho rei, ao aceitar, incontinente, casar-se com o cunhado Cláudio e usufruir as carícias incestuosas, imundas e libidinosas do tio. Assim, Hamlet duvida do amor, da sinceridade e da lealdade de Ofélia. Se sua própria mãe é frágil, facilmente influenciável e sexualmente fogosa, todas as outras mulheres serão também. Para ele, a bela Ofélia não é exceção. Além do mais, no mundo patriarcal, os homens estão constantemente medindo forças; Hamlet foi vencido por Laertes e Polônio, a voz do sangue falou mais alto para Ofélia, ela, de fato, considerou os argumentos do irmão e as ordens do pai. O bom senso triunfou sobre o amor. Provavelmente, Hamlet sentiu-se frustrado ao constatar que seu amor não foi suficiente para fazer de Ofélia uma aliada. No final, contudo, Ofélia foi a grande derrotada: Laertes longe na França, Polônio, seu querido pai, assassinado pelo amor de sua vida e Hamlet enviado, às pressas, para a Inglaterra. Ofélia enlouquece, abandona o silêncio e passa a expressar sua imensa dor. Talvez somente ensandecida, no mundo medieval, fosse livre para ter direito a ser. A recatada donzela, tresloucada, devastada pela perda do pai, abandonada por Hamlet, vaga pelos corredores do castelo cantando disparates ou seriam verdades que a loucura liberou? Vejamos (Ato IV, Cena 5):

Ofélia

(Canta)

"Amanhã é dia santo,
Dia de São Valentim;
Na janela desde cedo
Tu vais esperar por mim,
Pra ser tua Valentina,
Ele ergueu-se e se vestiu.
Abriu a porta do quarto,
Deixou entrar a menina,

A donzela Valentina,
Que donzela não saiu."

Rei Pobre Ofélia!

Ofélia Na verdade, sem lamentos, vou pôr fim a esta história:

(Canta)

"Por Cristo e por Caridade,
Que tristeza e que vergonha,
Em tendo oportunidade
Os rapazes farão isso
E são culpados de tudo
Pois antes de eu ter caído,
Jurastes ser meu marido."
E ele responde:
"Eu teria casado, satisfeito,
Se não tivesses tu vindo ao meu leito."

Nunca saberemos realmente se, em seu delírio, Ofélia cantava sua desdita de ter perdido a virgindade no Dia de São Valentim (nosso Dia dos Namorados) ao acreditar nas palavras do amado Hamlet que com ela prometera casar-se, se ela não tivesse ido ao seu quarto e cedido ao seu desejo; ou se teria gostado que tal tivesse ocorrido e, desvairada, dera voz ao seu inconsciente. As palavras que a jovem usa são fortes no original, quase vulgares e plenas de duplo sentido. Cineastas como Kenneth Branagh e Michael Almereyda não deixam dúvidas que Hamlet e Ofélia eram amantes. Críticos especializados em Shakespeare afirmam que Ofélia era donzela e assim morreu. Menos mal para Hamlet, pois se ele a ludibriou com promessas de casamento a fim de levá-la para a cama, não foi honrado, seu caráter deixaria muito a desejar. Hamlet, enquanto Ofélia era viva, não conseguiu inspirar-lhe confiança. Após a morte da moça (pairaram dúvidas se ela teria se suicidado ou caído no rio por acidente), durante o enterro, Hamlet teatralmente se atira na cova, onde Laertes já está (Ato V, Cena 1), e diz tarde demais:

Hamlet Amei Ofélia;
Quarenta mil irmãos, por mais que amassem,
Não somariam mais que o meu amor.
Que queres tu fazer então por ela?

Se o príncipe, de fato, amou Ofélia, mais uma vez não teve noção de *timing* para levar a cabo sua vontade.

Hamlet também foi derrotado por seu tio, Cláudio, pois Gertrudes ignorou a voz do sangue, e, prontamente, concordou em casar-se com o cunhado. Por que Hamlet não herdou o trono do pai? A questão da hereditariedade não seria direta na Dinamarca? Ainda que Cláudio astutamente declare perante a corte que Hamlet é seu sucessor, o que aconteceria se Gertrudes concebesse um filho de Cláudio? O príncipe se sente prejudicado de todos os ângulos: sua mãe está mais interessada no amor carnal do que no maternal, emocionalmente Hamlet está fragilizado, o pai foi assassinado pelo tio, a mãe não é o apoio esperado e Ofélia está do lado de Polônio. Resta-lhe tão somente a amizade sincera de Horácio. O amigo, porém, pouco pode para suprir a enorme carência de Hamlet.

Quanto a Cláudio e Gertrudes, que espécie de casal são? Depois de ler o romance *Gertrudes e Cláudio*, de John Updike, é impossível não sentir uma certa comiseração pelos infratores do sexto e nono mandamentos. Segundo Updike, que se valeu de fontes antigas diversas, Cláudio fora apaixonado por Gertrudes desde a juventude, por várias vezes afastara-se da corte para tentar esquecê-la. Ela se casara muito nova com Hamlet forçada pelo pai a fim de atender a interesses de Estado. Não era feliz. O rei estava sempre ausente, guerreando longe. Tivera um único filho, Hamlet, amava-o, mas a relação era difícil. Sentira-se sozinha reiteradamente. Numa das voltas de Cláudio a Elsinore, em momento de fraqueza, deixara-se envolver pelo sedutor cunhado, homem experimentado, culto, versado em línguas, viajado, avançado no tempo, mais renascentista do que medieval e... conhecedor das mulheres. Cláudio sabia como fazer Gertrudes se sentir amada e desejada. Após iniciado o *affair*, não tiveram mais como voltar atrás. Polônio foi conivente com os amores proibidos, chegando a oferecer um "ninho" para os amantes. Descobertos pelo rei Hamlet, antes que Gertrudes se desse conta do perigo que corria, Cláudio, sabendo que estava condenado à morte pelo irmão, e quem sabe Gertrudes também, resolve cometer dois crimes: fratricídio e regicídio. Ajudado por Polônio, mata o rei no jardim, valendo-se de um veneno poderoso. A história de Updike termina na coroação de Cláudio como rei. É importante frisar que Gertrudes foi poupada da verdade da morte do marido.

Bem, Shakespeare enfatiza em seu Hamlet o crime nefando cometido por Cláudio, crime esse que tomamos conhecimento pelas palavras do fantasma do pai (Ato I, Cena 5):

Fantasma	Vinga a sua alma e o seu assassinato!
Hamlet	Assassinato?
Fantasma	Assassinato, sim, sempre covarde, Mas desta vez mais torpe e mais covarde.
Hamlet	Conta-me logo, para que eu, com asas Rápidas como a ideia ou como o amor, Voe à vingança!
Fantasma	Era o que esperava. Serias mais apático e mais lento Que a raiz que apodrece junto ao Letes, Se não fizesse isso. Agora, Hamlet, Escuta: Dizem que eu, quando dormia No meu jardim, fui vítima da raiva De uma serpente; e assim, na Dinamarca Toda, essa história em torno a mim forjada Foi repetida como verdadeira. Mas tu, meu nobre jovem, toma nota De que a serpente que tirou a vida De teu pai usa agora a sua coroa.
Hamlet	Oh, minh'alma profética; meu tio!

Já temos o criminoso. E Gertrudes? O fantasma do pai é duro em relação à rainha, não a acusa de cúmplice, mas tem reservas em relação à sua atitude (Ato I, Cena 5):

Fantasma Essa víbora, adúltera e incestuosa,
Cujos feitiços, cujos dons traiçoeiros,
Pérfidos dons, que prendem e seduzem,
Souberam conquistar para a luxúria
A aparente virtude da rainha.
Oh, Hamlet, que terrível decadência
Do meu amor, cheio de dignidade,
Que andava sempre unido ao nobre voto
Que fizera ao casar-me, ir declinando.
Cedendo ao miserável, cujos dotes
Naturais são tão pobres junto aos meus!
Mas se a virtude é forte, é inabalável,
Ainda que a lascívia ande a tentá-la:
Já a luxúria, embora unida a um anjo
Resplendente, sacia-se de um leito
Puro e vai repastar-se num monturo.
Mas alto lá. Pressinto o ar da manhã.
Devo ser breve. Como de costume,
Dormia eu à tarde, no jardim;
Teu tio, aproveitando essa hora incauta,
Furtivamente, conduzindo um frasco
Com a maldita essência do meimendro,
Me fez cair nas conchas das orelhas
Essas gotas terríveis, cujo efeito
Tem tal inimizade ao sangue humano
Que lestas como o azougue, elas percorrem
Todas as veias e canais do corpo
E, de repente, coagulam e talham
O sangue fino e fluido. Assim, meu sangue
De rápida erupção cobriu meu corpo,

Como se eu fosse um lázaro, co'a crosta
Mais vil e repelente.
Dormia eu, pois, quando essa mão fraterna
Roubou-me a vida, o cetro e a rainha:
Ceifou-me em plena flor dos meus pecados,
Sem sacramentos, sem extrema-unção,
Sem ter prestado contas dos meus erros,
Cheio de imperfeições em minha mente.
É horrível, horrível, mais que horrível!
Se tens consciência em ti, não o toleres;
Não deixa o leito real da Dinamarca
Do incesto e da luxúria.
Mas, como quer que cumpra esse feito,
Não mancha o teu espírito, nem deixa
Tu'alma agir contra tua mãe. Entrega-a
Aos céus; e que os espinhos que ela guarda
No seio a firam de remorso. Adeus.
Agora, a vaga luz intermitente
Do vaga-lume prenuncia a aurora
E começa a perder seu frágil fogo.
Adeus! Adeus! Recorda-te de mim!

A fala do fantasma do pai é longa, queixosa, com adjetivos implacáveis em relação ao irmão assassino; curiosamente, ele parece lamentar mais ter perdido o acesso ao leito da rainha do que a coroa, e, de certa forma, inveja que Cláudio tenha despertado a luxúria, a lascívia e o desejo de Gertrudes com seus dons de mago sedutor. Ao comparar-se a Cláudio, julga-se superior. Lembremos que o fantasma argumenta em causa própria. Seria Cláudio assim tão desprezível, abjeto e repelente? Como Gertrudes desconhece que foi ele quem matou o finado marido, podemos imputar-lhe culpa apenas de aceitar casar-se rapidamente, sem observar o luto de praxe. Percebe-se que ela está apaixonada por Cláudio. O amante trouxe de volta uma lufada de juventude. Franco Zeffirelli, o diretor italiano, foi muito feliz ao escolher Alan Bates e Glenn Close para personificar Cláudio e Gertrudes em seu *Hamlet* (1990). Os olhares trocados entre os dois dão conta da química entre os atores e expressam muito bem a paixão entre as personagens. Alan Bates é envolvente com seu Cláudio e Glenn Close vibra como Gertrudes, deslizando leve, solta, feliz e enamorada pelos corredores do castelo.

Hamlet, o filho, tem dificuldade de aceitar a sexualidade da mãe. Sucede que para qualquer filho o assunto é quase tabu. É mais fácil e cômodo imaginar a mãe assexuada. Interessante que seja Hamlet, aquele que tem a língua solta para descrever, graças à sua imaginação fértil, quem supõe o que Gertrudes e Cláudio façam entre os lençóis reais (Ato III, Cena 4):

Hamlet Olha neste retrato e neste outro.
A representação de dois irmãos.
Olha a graça que paira nesta fronte;
Como lembra a feição do próprio Zeus,
Olhos de Marte, forte no comando,
O gesto de Mercúrio, o núncio alado,
Sobre a colina, quase alçado ao céu;
Um aspecto e uma forma que realmente
Pareciam dos deuses ter a marca
Que afirma ao mundo que está ali um homem.
Este era o teu esposo. Agora, observa
O teu marido de hoje, espiga podre

Que contamina a safra. Não tens olhos?
Pudeste abandonar essas alturas
Para cevar-te no lodaçal? Tens olhos?
Não me fales de amor; na tua idade
O alvoroço do sangue é fraco e humilde,
E cede ao julgamento. Mas que escolha
Seria entre este e o outro? Certamente
Tens sentidos, mas 'stão paralisados,
Pois a própria loucura não faz erros
Assim, nem os sentidos são escravos
Que não conservem uma certa escolha,
Para servi-los nessa diferença.
Que diabo te logrou na cabra-cega?
Olhos sem senso, sensações sem olhos,
Olfato só, ou parte dos sentidos,
Doente de um sincero sofrimento,
Não poderia transviar-te tanto.
Oh vergonha, onde estão os teus rubores?
Se o inferno exalta assim uma matrona,
Seja de cera a própria castidade
Na juventude, e se derreta em fogo:
Clamando que não há nenhum opróbrio
Quando ataca o furor, visto que o gelo
Também pode queimar, e que a razão
É alcoviteira da vontade.

Rainha Basta!
Voltas os olhos meus para minh'alma,
Neles vejo tantos pontos negros
Que nunca sairão...

Hamlet E isso somente
Para viver num leito conspurcado,
Em meio à corrupção, fazendo amor
Em vil pocilga.

Rainha Não me fales mais,
Essas palavras entram como espadas
Nos meus ouvidos. Para, doce Hamlet!

O discurso de Hamlet é tão violento, tão cheio de imagens sujas e fétidas que a pobre Gertrudes só pode sentir culpa e desespero. Com certeza tem vergonha do amor-paixão que nutre por Cláudio. O filho deixa claro que na sua idade (deveria ter 45, 46 anos) os clamores do sexo já deveriam estar silenciados. Bem, se os hormônios ainda estivessem ativos, somente ela teria a resposta. Ironia, Hamlet é o único na peça que tem a "boca suja". É ele que não tem freio na língua, haja vista as palavras que usou em diálogo com a doce Ofélia e agora na descrição que faz das relações sexuais de Gertrudes e Cláudio. O príncipe pinta o pai quase como um deus e cheio de virtudes. Contudo, o velho Hamlet sabia de seus pecados e faltas, tanto que, segundo ele, estava no Purgatório para expiá-los. Todas as personagens principais cometeram delitos: o rei Hamlet matou o pai de Fortimbrás, Cláudio assassinou o irmão, e Hamlet pôs fim à vida de Polônio e também enviou Rosencrantz e Guildenstern à decapitação. A demora para cumprir as ordens do pai, no final, acabou provocando as mortes de Ofélia, Gertrudes, Laertes e a sua própria. Talvez o fascínio que Hamlet exerça sobre todos nós seja o fato de ser simplesmente humano, ainda que dotado de uma consciência infinita.

Cláudio, o vilão por excelência do reino da Dinamarca, tem algo que fale em seu favor? Como rei, ele age rápido em questões cruciais de Estado. Diante da ameaça de um possível ataque de Fortimbrás, príncipe da Noruega, prontamente enviou embaixadores ao rei enfermo, informando-o das pretensões do sobrinho beligerante. Pareceu demonstrar consternação pela morte de Polônio e pelo infortúnio de Ofélia. Quais são seus sentimentos em relação à rainha? Algum amor deve nutrir por Gertrudes, pois poupou-a da verdade da morte do antigo rei. Ele usa o adjetivo "doce" para classificar sua consorte (Ato III, Cena 1). Ainda que precise se livrar de Hamlet, procura meios para que seu desaparecimento seja encarado como acidente para a mãe. Ao ser perguntado por Laertes por que não reagira diante do crime cometido por Hamlet, sabedor que ele, o rei, era o alvo pretendido, e não Polônio, Cláudio responde (Ato IV, Cena 7):

Rei Dois motivos,
Que podem parecer-te sem valia,
Mas são fortes pra mim. Pela rainha,
Sua mãe, que só vive para ele;
E por mim mesmo... Por bem ou por mal,
A tenho tanto unida ao corpo e à alma,
Que, como a estrela que se move apenas
Na sua esfera, eu vivo só por ela.
A outra causa de eu não ir a público
É o grande amor que o povo tem por ele,
....

Meras palavras? Quem sabe Cláudio não esteja tão envolvido com Gertrudes quanto ela com ele, porém ele a faz feliz, isso é facilmente perceptível nas atitudes da rainha. Se Hamlet não tivesse lhe revelado que Cláudio matara o próprio irmão a fim de apoderar-se da coroa, Gertrudes continuaria a amá-lo livremente até o fim. Se o que sempre esteve em jogo foi a ânsia por poder, Gertrudes foi mais uma vítima do mundo patriarcal. Numa tragédia de mais de vinte personagens masculinas mencionadas diretamente, Gertrudes e Ofélia têm poucas linhas para se expressarem, são vistas e descritas pelos olhos masculinos plenos de misoginia. Ainda que Shakespeare procure retratar em Hamlet o mundo medieval, o que ele "traduz", como homem de seu tempo, são os valores vigentes da época elisabetana no tocante aos homens e mulheres.

Gertrudes, embora madura, experiente, parece mais uma "mulher-menina" em vez de bonecas, vestidos bonitos e adornos sofisticados que lhe realçam a atração exercida sobre seus homens. Não é tola, contudo sua intuição lhe faz antever reações de Hamlet. Ama o filho e também Cláudio. Uma vez descoberta a infâmia de Cláudio, atormentada pela culpa, compromete-se a agir como Hamlet lhe sugere. Num gesto final, salva o filho de beber o vinho envenenado e o impulsiona a agir contra o rei. Ofélia, ainda que jovem, inexperiente, é "menina-mulher", pois é perspicaz em relação ao irmão, Laertes, e ao amado, Hamlet. Seu discurso ao cantar, enlouquecida, revelou desencanto ao constatar a vilania dos homens para conquistar seus objetivos. Foi dura, clara e objetiva em seu julgamento. Se era ela a "Valentina" da canção melancólica e reveladora, restou-lhe vergonha e culpa após ceder às promessas do namorado.

Gertrudes e Ofélia, dois destinos trágicos, duas mulheres sufocadas pelos homens que amaram: Cláudio e Hamlet. Um, homem de ação, sagaz e ambicioso, seu possível único mérito foi ter trazido um pouco de felicidade efêmera para sua rainha; o outro, inteligente, dotado de consciência exemplar, foi implacável com as duas mulheres amadas: sua mãe, Gertrudes, e a namorada, Ofélia. Cláudio e Hamlet, dois homens poderosos que não souberam aproveitar seu livre-arbítrio, ou fizeram-no de forma errada, causando sua própria desgraça.

Vamos dar um salto agora, de tempo, de consciência e de ações. O Ato III encerra-se com um requinte de frieza de Hamlet arrastando o corpo de Polônio e comentando que ele, enfim, estava calado. A reta final está desenhada. Hamlet cometeu seu primeiro crime, feriu a consciência do rei e não o matou. Fugiu ao conselho de todo caçador experiente: ou evite a fera ou a mate. A fera machucada é o pior inimigo, especialmente quando o animal usa uma coroa, acrescentaríamos. Tudo se precipitará intensamente. Estamos diante do desfecho nos Atos IV e V.

ATO IV

PENSAR NOS LEVA À PRUDÊNCIA, MAS EM EXCESSO PODE NOS ACOVARDAR

O quarto ato da peça é curto, mas é o que contém mais cenas: sete, ao todo. Apenas para efeito de comparação, o Ato I tem cinco cenas; o II, duas; o III, texto longo e denso, quatro cenas; e o V tem duas apenas. Logo, o IV é caracterizado pela rapidez com que os fatos se sucedem, dada a tensão da ação. Tudo é muito movimentado.

A narrativa se inicia com uma conversa entre Cláudio e Gertrudes, na qual a rainha conta ao marido, devastada, que Hamlet matou Polônio num ato de loucura, tomando-o por um rato. Relata que ele saiu carregando o corpo e o escondeu. O rei manda chamar Rosencrantz e Guildenstern, que a essa altura da peça já são apenas servidores de Cláudio. Ambos recebem a incumbência de procurar Hamlet e o corpo de Polônio de forma rápida, mas discreta. O temor é que a notícia se espalhe e macule o nome da família. Ele conclui dizendo que "é um risco para todos que ele fique livre".

A história segue com a cena do encontro entre os ex-amigos e Hamlet. Eles lhe transmitem o recado do rei, o príncipe aceita o chamado de seu tio, mas ironiza profundamente Rosencrantz e Guildenstern, mostrando, com metáforas comuns à época, como são serviçais de um rei injusto. Mais de uma vez, compara-os a esponjas. A conversa se dá num momento obviamente tenso para Hamlet. A morte de Polônio e a confrontação com sua mãe o abalaram. Não era o homem fingindo-se de louco, mas, certamente, um homem muito alterado que ali estava. Hamlet continua mordaz em seus comentários, firme em seu propósito, mas seu humor está contaminado pelo crime que cometeu. Rosencrantz e Guildenstern, muito provavelmente, escutaram ser chamados de esponjas e atribuíram isso à loucura que imaginavam ter tomado conta do príncipe. Mas Hamlet está alertando-os de que haviam se tornado nada além de "castanhas na boca de um macaco". Ou seja, que Cláudio usa e abusa deles, jogando-os para lá e para cá. Quando se cansar, como fazemos com castanhas, ele os engolirá ou os cuspirá. A frase diz que eles já perderam a amizade, agora abdicam da humanidade, pois não são mais livres, apenas lacaios. Quando Cláudio não precisar mais deles, serão deixados de lado e "estarão secos de novo".

Uma esponja, desde meados do século passado, é um polímero, um tipo de plástico, com alta durabilidade. É raro usarmos uma única vez e descartarmos. Mas as esponjas do tempo de Shakespeare são de origem orgânica. Eram procuradas desde a Antiguidade com fins de higiene, por exemplo. Nos antigos Jogos Olímpicos, esponjas do mar embebidas em azeite ou perfume eram passadas nos corpos dos atletas antes de competirem. Foram o equivalente do papel higiênico desde os gregos antigos; usadas como absorvente para as mulheres em vários lugares do mundo e em diversas épocas; e até para servir um pouco de vinagre a Cristo na cruz. Serviam para muitas coisas, mas a durabilidade era pequena. A origem orgânica as tornava rapidamente descartáveis. Guildenstern e Rosencrantz já haviam sacrificado sua honra, agora sacrificavam seus destinos: seriam como esponjas descartadas após o uso. O rei e a rainha determinavam suas vidas. Eles já estavam mortos. Talvez isso ajude a explicar a falta de remorso que Hamlet demonstrará quando eles efetivamente morrerem.

O corpo está com o rei, mas o rei não está com o corpo

Uma das missões de Guildenstern e Rosencrantz fora cumprida: levar Hamlet à presença real. Na outra, descobrir o paradeiro do corpo de Polônio, falharam. Quando perguntam ao príncipe onde está o cadáver, ouvem uma frase que parece outra das sandices simuladas da nossa personagem principal: "O corpo está com o rei, mas o rei não está com o corpo. O rei é uma coisa (...). Uma coisa de nada."

Na pena do bardo, é raro, talvez impensável, uma frase à toa ou sem sentidos múltiplos. A plateia mais atenta partilhava uma crença comum a muitas monarquias do período: a de que os reis tinham dois corpos. Isso mesmo: a teoria do corpo duplo do rei. Pensemos apenas a primeira sentença: "O corpo está com o rei." Há nela evidente duplo sentido: a culpa de haver um corpo que "está com o rei", ele é o verdadeiro assassino. Primeiro, o do pai de Hamlet. Por consequência, o de Polônio, que morreu por conluio com o usurpador. O segundo sentido é que o rei tem um corpo físico, mortal, capaz de adoecer, envelhecer e morrer como o corpo de qualquer súdito.

A segunda sentença, "mas o rei não está com o corpo", mostra uma outra natureza do poder real. A crença de que havia um corpo místico dos monarcas, sacralizado, que o separava dos demais homens e que não morreria jamais, pois estava imortalizado na arte, na história e na memória. Essa espécie de eflúvio não era perecível. Quando um rei morria, seu corpo sagrado como que migrava para seu sucessor, que por sua vez passava a ter dois corpos. Isso tornava a monarquia sagrada. Em miúdos: o corpo sagrado de Hamlet pai não passara para o irmão. Hamlet, o filho, denunciava com filosofia o tio usurpador.

Algumas décadas depois da morte de Elisabete e a de Shakespeare, a Inglaterra passou por um processo revolucionário que culminou com a decapitação de Carlos I Stuart e a instauração da única experiência republicana que os ingleses conheceram na sua milenar história. Parte dos argumentos dos revolucionários ligados ao Parlamento era de que o monarca não herdara o segundo corpo, o que lhe dava majestade e soberania. Logo, era um usurpador e matar alguém assim não seria regicídio. Outros monarcas, desde o fim da Idade Média até o século XVIII, seguiram tal doutrina. Luís XIV da França ou a Elisabete de Shakespeare eram tão conscientes de seus "corpos duplos" que se cercaram de biógrafos, artistas, artesãos, alfaiates, escultores, cientistas, poetas, escritores e historiadores que pudessem transformá-los em símbolos públicos de glória. Tudo o que faziam como reis era cênico: um teatro do Estado, no qual seus exuberantes trajes e seus gestos estudados eram emanações de poder.

Para alguns especialistas, esse era o nascimento de uma característica moderna que seguimos até hoje. Claro que não falamos mais em corpo duplo para reis ou rainhas, mas diferenciamos, sim, Estado e governo. Somos seres individualistas e também seres sociais. Ou seja, apenas conhecemos o mundo pela nossa existência, pela nossa individualidade, mas somos seres gregários. "Nenhum homem é uma ilha", diz o poema de John Donne, que viveu sua maturidade como escritor pouco depois do tempo de Shakespeare. Como nos associamos é um longo debate na filosofia política. Desde Aristóteles, passando por Cícero e Tomás de Aquino, há quem aposte em explicações naturais para isso: dependemos uns dos outros; é de nossa natureza sermos assim. Não à toa, são chamados de naturalistas. Outra corrente, não necessariamente oposta, pois não nega a natureza humana gregária, mas a forma de agregação, é a contratualista. Da geração pós-Revolução Inglesa em diante, a ideia de um pacto ou contrato social só foi fortalecida. Esse é um pensamento mais moderno. Isso não é um julgamento de valor, no sentido de que é melhor ou mais sofisticado. Mas é moderno no sentido de que marcou a modernidade e foi pensado por Thomas Hobbes, John Locke, Jean-Jacques Rousseau e Montesquieu.

O Estado, como o concebemos hoje, é fruto dessas discussões e das experiências revolucionárias dos séculos XVIII e XIX. Estado equivale ao corpo místico, o eflúvio majestático, efetivamente político. Já o governo pertence ao corpo perecível. Em outras palavras, o Estado, a Nação, se efetiva por meio de governos, assim como um corpo do rei depende do outro para existir plenamente. O Estado é algo perene, que transcende governos, é por definição algo passageiro. Governar é metáfora marinha: é ato de conduzir uma nau por meio do leme. Quando o condutor se ausentar, o leme continua no barco. Entra governo, sai governo, o Estado permanece. Claro, como aprendemos com Hamlet, que essa é apenas a teoria. Na prática, um governo pode, sim, alterar o leme e conduzir todo o barco para um recife. Afundando, não sobram condutor, leme ou barco. Elsinore foi uma com Hamlet pai (mais bélica e medieval), outra com Cláudio (mais diplomática, mais cheia de intrigas) e nunca foi de Hamlet filho. Só podemos supor o que seria com Fortimbrás.

Ele é adorado por uma turba volúvel

Hamlet é levado diante do rei. Cláudio confabula com outros nobres anônimos (sua corte, quando não anônima, é de bajuladores) e diz que o príncipe se tornou temerário. Diz que "não convém puni-lo com o rigor da lei", pois "ele é adorado por uma turba volúvel, que ama com os olhos e não com o juízo". Descobrimos algo de fora do palácio: há povo na Dinamarca e ele parece favorável ao príncipe. Não sabemos o porquê. Shakespeare nunca foi um democrata ou republicano. Nunca teve mais ou menos consideração pelo povo do que qualquer pessoa de sua época. Povo era para se apiedar, tutelar, cuidar, cobrar impostos, proteger, mas não para ouvir. Essa pequena ressonância chega a nossos ouvidos sem mais consequências. Hamlet entra e o diálogo com o tio é tenso. O rei quer que ele parta imediatamente para a Inglaterra. Razão oficial: salvar sua pele da vingança que podia haver ou de outra punição prevista em lei. A oficiosa, porém, escancara as maquinações de Cláudio e Hamlet, que se enfrentam como num tabuleiro de xadrez. Hamlet matara Polônio, morte inexplicável para a corte, mas Cláudio tem certeza de que ele era a pessoa visada, daí querer mandá-lo para as Ilhas Britânicas rapidamente. Até aqui, o jogo era sutil. A peça representada antes desperta o maior dinamismo da ação. A partir dela, Cláudio tem certeza de que fora descoberto e que Hamlet quer matá-lo. A partir da ida para a Inglaterra, Hamlet percebe também que o rei realmente quer matá-lo. Os oponentes estão abandonando metáforas e sutilezas.

É necessário explicar a mudança. Hamlet tinha desejado voltar à universidade no início da peça. O rei dissera não. Agora, de repente, manda o sobrinho embora. O que dizer para Gertrudes? Cláudio justifica a partida de Hamlet como uma maneira de protegê-lo e livrá-lo das consequências de seu ato infeliz. Na verdade, o plano é eliminá-lo longe dos olhares da mãe e das suspeitas do povo, que, afinal, como foi dito, ama o príncipe. Junto de Hamlet partiriam Rosencrantz e Guildenstern, com cartas seladas aos ingleses. O conteúdo das missivas dizia para matá-lo como um ato de prova de amizade política entre as duas nações.

O plano de Cláudio não prevê uma consequência estratégica. Se o governo inglês assassinar o herdeiro do trono dinamarquês, seria obrigatória a declaração de guerra. Séculos depois de Shakespeare e de *Hamlet*, foi o caso da morte de um herdeiro que iniciou a Primeira Guerra Mundial (1914-1918). Se a guerra entre o Império Austro-Húngaro e a Sérvia tinha começado por causa de um assassino avulso, imagine-se a fúria redobrada que teria explodido se o governo sérvio tivesse eliminado Francisco Ferdinando como política de Estado. Cláudio previu a consequência da sua escolha? Ou... imaginemos que o rei seja ainda mais esperto e tenha usado as cartas com pena de morte para Hamlet para resolver dois problemas: eliminar o príncipe incômodo e ainda declarar guerra a um país? A hipótese do desejo de guerra tem uma falha: Cláudio enviara carta documentada pedindo a morte.

Como pode um país pequeno como a Dinamarca (hoje, séculos depois, com uma população menor do que a de Londres) desafiar a poderosa Inglaterra? A cena é medieval e, então, havia memória fresca de invasões escandinavas (vikings) durante longos anos. O rei Canuto (em inglês, Cnut, the Great, 995-1035), de origem dinamarquesa, havia organizado um império e era soberano da Dinamarca, da Noruega e da Inglaterra. O normando Guilherme, o Conquistador (William, the Conqueror, 1028-1087) tinha sangue viking (descendia do lendário Rollo, que chegou àquela região cem anos antes da conquista da Inglaterra) e venceu as tropas inglesas, iniciando a dinastia Plantageneta nas Ilhas Britânicas. Assim, entendemos melhor a ameaça do rei de Elsinore ao governo londrino. Na Idade Média, o rugido dinamarquês era mais poderoso aos ouvidos britânicos.

Na minha construção, Hamlet não era e nunca seria um "pequeno príncipe", ou seja, a personagem de Saint-Exupéry que fazia perguntas verdadeiras e doces sobre cativar, criar laços, ser especial para alguém e sincero consigo. Se o Pequeno for o modelo, o príncipe Hamlet é um fracasso absoluto. No outro extremo está o príncipe de Maquiavel, o homem do realismo político, o modelo de ação efetiva sem debates morais intermináveis. Chamemos a este último de "grande príncipe". Hamlet é um diálogo entre o grande e o pequeno príncipe.

Vamos pensar mais sobre a curiosa trilogia: o pequeno, o grande e o príncipe Hamlet. O pequeno príncipe está sempre onde fala. Não possui ambiguidades. Diz o que pensa e não faz jogos, apenas indaga e nunca desiste de uma pergunta. Alegra-se com o que seja motivo de felicidade e fica entristecido com o que contraria seu júbilo. Pergunta diretamente. Age sobre baobás e vulcões, debate com raposas, interroga geógrafos, pede desenhos e nunca desiste de uma pergunta. Parece feliz e a fórmula da personagem animou muita gente.

A obra póstuma de Maquiavel, *O príncipe*, provoca debates acalorados há séculos. É uma tentativa de pensar o poder sem passar pelo idealismo. Não mais as coisas como deveriam ser, mas como de fato são. O capítulo 18 do livro é o mais simbólico da nova postura realista: o príncipe não precisa ser, apenas necessita aparentar, pois a aparência convence a maioria. O vulgo (o grosso da população) julga pela aparência, não pelo que se passa no mundo interno do governante. A palavra empenhada só precisa ser mantida se for favorável ao projeto de poder do príncipe. A majestade do Estado garante o resto para convencer governados de que o governante é extraordinário e sábio. Pouca gente sabe o que você realmente é, pensa o florentino, todos sabem o que é aparência. É necessário aparentar piedade e religião, não é importante ser piedoso ou religioso.

O projeto do príncipe Hamlet não é o poder. Se fosse, bastaria esperar um pouco ou acelerar o processo de passamento de Cláudio para herdar a coroa. A peça nunca explica o motivo de o herdeiro natural, maior de idade, Hamlet, não ter assumido a coroa quando o velho rei desapareceu. O gesto de Cláudio é um golpe de Estado e seu interesse em Gertrudes pode ser lido como estratégia de reforço de sua pretensão usurpadora. Nem o direito dinamarquês medieval, nem o direito inglês da era Tudor apregoavam que o irmão assumiria o trono existindo um herdeiro incontestável e maior de idade. Se poder fosse o que Hamlet buscava, seu silêncio omisso traria o tempo a seu favor. A ideia de regicídio mudou tudo e deslanchou a trama. Não se trata de uma disputa pelo trono, mas uma questão moral que resvala em julgamento político. Cláudio é assassino, fratricida, eliminador do ungido real, e isso é o primeiro e maior crime. Se Cláudio tivesse se retirado para uma ilha dinamarquesa sem tomar a coroa, continuaria sendo alvo da fúria de Hamlet. A peça contém política, mas não é a trama política seu eixo narrativo.

Afinal, quais as paixões que vibram cada fibra do coração do protagonista? Ele tem inúmeras falas abordando uma compreensão do poder e dos seus mecanismos. Hamlet deplora a cena, olha além das coxias, porém julga duramente e estabelece questões morais. É uma ambiguidade entre moral e eficácia, entre o pequeno e o grande príncipe. No meio de (mais uma) ambiguidade, Hamlet tropeça nos dois campos, o moral e o estratégico político.

Nesse ato são colocados em confronto Hamlet, Laertes e Fortimbrás. Usando linguagem contemporânea, poderíamos fantasiar que Laertes e Fortimbrás seriam pró-ativos e Hamlet reativo. Os dois primeiros agem e o primeiro pensa muito antes de agir. Ele perdeu várias oportunidades de matar Cláudio. Teve pensamentos sangrentos, mas não os pôs à prova. Laertes, o jovem cortesão, embora não seja nobre, priva da companhia do rei e da rainha, dado o fato de seu pai ser o conselheiro real. Homem de confiança de Cláudio, ao tomar conhecimento da morte do pai, prontamente reagiu e voltou da França disposto a matar o rei, sem temor. Fortimbrás, o príncipe-soldado, tenta de todas as maneiras recuperar terras perdidas, é valente e vai em busca do que acredita. Hamlet... Ah, Hamlet! É um príncipe-pensante. De solilóquio em solilóquio reconhece a realidade que o cerca, mas está preso em sua casca de noz. A vingança é sempre adiada, justificada pelas razões que parecem dominá-lo.

A demora da ação de Hamlet já foi explicada por sua melancolia. O mal que o torna soturno causa certa letargia. As pessoas ao redor não o tocam. A Dinamarca é podre, o leito real virou uma alcova pecaminosa, a corte é descrita como um lugar vazio tomado de aduladores. Nada agrada ao príncipe melancólico. Sempre devemos levar em conta que a peça está sendo escrita no momento da morte do único filho de Shakespeare, com o curioso nome de Hamnet. É plausível supor que, mesmo sendo comum a morte de crianças na época, Shakespeare ficou muito abalado.

Havia duas filhas e sua sempre dedicada esposa. O bardo tivera um pai complicado que levou a família à ruína. Shakespeare vivia longe da sua cidade natal e talvez cultivasse alguma culpa por isso. A morte do herdeiro no início do apogeu e do sucesso de William foi um golpe, e o príncipe pode conter algum reflexo autobiográfico. Hamlet/Hamnet seriam um diálogo ficcional sobre uma dor real? De novo, nossa tendência psicologizante causaria estranheza no Renascimento. Relembro aqui o alerta de Harold Bloom: o maior não pode ser explicado pelo menor na cabeça de todo bardólatra.

Voltemos à inação aparente do príncipe. O mundo católico feudal não consegue oferecer uma identidade segura ou base ideológica para a ação. O fatalismo e a presença do plano divino nublam reflexões mais livres para ser agente da história. Hamlet sobrepõe duas realidades: certo determinismo religioso e a crença moderna no indivíduo. Hamlet sente que precisa agir e demora a fazê-lo. Outra personagem shakespeariana, o apaixonado Romeu, afirma ser um joguete do destino. Em todas as peças encontra-se essa ambiguidade entre ação e fatalismo. Em *Macbeth*, a profecia das feiticeiras se cumpre, ainda que necessite da mão assassina do protagonista. Na *Tempestade*, política e magia estão imbricadas. *Ricardo III* é o homem pleno de consciência e ação. Sabe que é disforme e ambicioso e trabalha ativamente para alcançar o trono. No caminho, o corcunda nem sequer teme assassinar dois sobrinhos na Torre de Londres. Ricardo toma o destino nas mãos e, com sangue e astúcia, atinge seu objetivo. Porém, algo maior do que sua frieza política e amoralidade vai se impor. Poder ilegítimo ofende os céus. Ricardo não deveria estar no trono, e, por mais que ele faça e aconteça, o destino favorece a emersão da nova dinastia Tudor.

Voltemos ao príncipe dinamarquês. Ele é o poder legítimo. Ao contrário de Macbeth e Ricardo III, ele não está derrubando um poder legal pelo criminoso, porém restaurando a ordem natural e justa. Ele poderia ter sobrevivido? Estamos numa tragédia e aqui a morte impera. As comédias de Shakespeare exibem algumas sombras; as tragédias e peças históricas podem conter coisas cômicas, a grande diferença está no número de cadáveres. Em *Tito Andrônico* e *Ricardo II* há muitos mortos. Em *Hamlet* e *Romeu e Julieta* a mortandade é menor.

Quando Cláudio anuncia, em breve monólogo, que deseja matar o sobrinho, não o faz com alegria ou raiva, mas com inquietação, como um jogo político, que tem seu custo emocional. Termina a Cena 3 do Ato IV com a frase: "Venha o que vier, viverei contrafeito." Ou seja, parece que a morte de Hamlet não era um plano seu, de início. Ou ela faria um mal diretamente, ou por uma espécie de amor que pudesse efetivamente nutrir pelo sobrinho, ou por um cálculo político tão somente: ele era popular; Cláudio, não. Sem Hamlet a seu lado, Cláudio possivelmente enfrentaria mais dificuldade em se afirmar. Uma terceira hipótese: Gertrudes sentiria a perda do filho, e isso abalaria o casamento. Talvez as três coisas juntas.

A questão é um ponto em aberto até hoje. Qual o grau de controle sobre a vida? Hoje, destituídos os teocentrismos, o indivíduo é educado para ser o motor soberano de todo impulso. Se quiser e fizer a partir do desejo, você pode quase tudo. Maquiavel criou um jogo de equilíbrios e compensações entre as suas habilidades (*virtù*, uma forma de livre-arbítrio) e o destino que escapa ao controle (fortuna). Ele provoca uma ruptura sobre sistemas antigos que constituíam o caráter de valores do governante, os espelhos morais para ele se inspirar (chamamos de fundamento deontológico do poder). Mesmo a fortuna, o imponderável, o aleatório, no que não pode ser totalmente determinado age a *virtù* principesca: cada fato deve ser aproveitado numa estratégia de Estado. O bom governante vai moldando, dirigindo, guiando e adaptando tudo tendo por princípio o poder e sua eficácia. A *virtù* é também a ação correta no momento certo e o uso da inteligência a partir dos fatos que vão surgindo. Se antes o governante realmente dotado de méritos era aquele que não se deixava abalar pelos fatos e seguia seus princípios morais, agora os fatos podem ser aproveitados, inclusive, para alargar o fosso entre moral e ação. Falta um pouco para Hamlet ser um príncipe moderno, como descreveu o florentino. Sua consciência e sua determinação o afastam do governante medieval. Nas brumas de Elsinore, Hamlet é um híbrido.

O que é um homem?

Hamlet está com Rosencrantz e Guildenstern na beira do cais, esperando seu embarque para a Inglaterra, no início da Cena 4. Dali, vê o desembarque das tropas norueguesas de Fortimbrás a caminho da Polônia. Quando instado a embarcar, pede um momento para ficar a sós e o público recebe mais um monólogo. Ele tem dois núcleos, um sobre a racionalidade humana e o que nos separa dos animais e, decorrente do primeiro, um sobre o que é grandeza de espírito.

O primeiro dos temas é enunciado pela frase: "O que é um homem, se seu mais alto bem e seu uso do tempo é dormir e comer? Um bicho apenas." Conclui dizendo que, sem usar nossa racionalidade, a deixamos mofando num canto. Essa é uma questão antiga, sobre o que confere humanidade e o que nos aparta dos demais animais. Uma questão complexa e cuja resposta definitiva cada vez mais elude a ciência. Sabemos que pensamento existe em outros primatas, além de cães, golfinhos e elefantes, entre outros. Consciência, algo indefinível e fundamental ao mesmo tempo, é o que nos dá a capacidade de entender quem somos e reconhecermo-nos no espelho, por exemplo. Experimentos de cientistas de comportamento animal mundo afora já demonstraram que chimpanzés, golfinhos e elefantes têm a capacidade de se olhar no espelho e se reconhecer. A fronteira existe, mas é porosa, não está efetivamente desenhada e é cambiante.

Nos tempos de Shakespeare, o debate partia da Bíblia. Lá, em Gênesis, fica claro que Deus criou a humanidade à sua imagem e semelhança e os animais para nos servirem. A tradição clássica também reforçou a barreira entre natureza e cultura, barbárie e civilização. A fusão poderosa das duas tradições chegara à Inglaterra do início do século XVII acreditando que a razão, uma espécie de luz natural que Deus proveu a suas criaturas mais amadas, seria o guia de outro atributo divino: nosso livre-arbítrio. Podemos fazer o que quisermos, mas para fazer o certo é necessário pensar, agir conforme a lei natural que estaria, de alguma forma, gravada em nossa racionalidade. Esse raciocínio ecoava Cícero. O romano acreditava que a razão estava ligada à nossa capacidade de perceber o tempo, de distinguir o antes, o agora e o depois. Nenhum outro animal tinha essa noção embutida em seu *hardware*. Logo, ela não poderia ser inútil, tinha que ser usada. O uso da razão nos transformaria em seres éticos. Não há ética entre as bestas, apenas entre nós, quando fazemos uso da razão.

Hamlet fala do desperdício de sua racionalidade quando tem tudo pronto para a sua vingança, mas fica postergando. Se os animais tinham um "esquecimento bestial", ele parecia imitá-los. De tanto pensar, paradoxalmente, parou de agir. Sua pusilanimidade era fruto do excesso de pensar, confabular. Ele via um corajoso e jovem príncipe diante dele, Fortimbrás ("O braço forte"), marchando resoluto para uma guerra que podia vitimar vinte mil pessoas. Como se fosse seu espelho invertido, Hamlet se via quase como um animal, a quem "um letargo bestial, um escrúpulo covarde", impedia de agir. A inversão é digna de nota. Se um animal por definição é instintivo e a razão é o que nos distingue dele, Fortimbrás, que parecia agir mais com o peito do que com a cabeça, seria o ser animalesco. Mas Shakespeare gira o parafuso uma vez mais e inverte o raciocínio: Hamlet, por pensar em excesso, não agia, não realizava seu propósito, procrastinava. Isso era bestial. O que os antigos chamariam de prudência, a virtude que faz prever justamente para evitar inconveniências e perigos, agora era transformada em inação, um vício. Lawrence Flores Pereira vê nisso outra influência de Montaigne, para quem "a sabedoria por demais precisa e tão precisamente circunspecta é um inimigo mortal da execução arrogante".

Covardia ou prudência? Esta é a pergunta de fundo que nos faz aprender com Hamlet mais uma vez. Quando planejamos algo, traçamos estratégias e falamos em metas e objetivos, isso é sinal de que temos capacidade de antever o futuro, tentar agir sobre ele, controlá-lo. Mas o futuro não aconteceu. Santo Agostinho fala-nos que o futuro não existe em si, mas sim e tão somente como uma antecipação do presente. Existe um futuro-presente. A metáfora agostiniana é linda e relaciona-se com a música. Quando estamos entoando uma canção, o fazemos no presente. O presente não tem peso e não tem medida. "Mal falei, mal agi e minhas palavras e meus atos naufragam no reino de Memória", escreveu o historiador francês Marc Bloch. Logo que a melodia sai de meus lábios ela se torna passado. Só posso viver no presente, mas ele não consegue ser apreendido, pois é pura efemeridade. O passado tampouco é um tempo concreto, pois é algo que deixou de existir. Só volta à existência quando penso sobre ele no presente. "Como era mesmo a canção?" Tenho que puxar de memória, trazer do passado para o presente, senão não consigo cantar. Nesse sentido, diz o bispo patriarca da Igreja, só existe um passado-presente. A mesma coisa se passa com o futuro. Para poder continuar cantando, enquanto entoo um verso, meu cérebro antecipa o movimento seguinte, traz do futuro para o presente o que devo fazer. Ou seja, torna o futuro-presente.

Assim também ocorre no ambiente de trabalho, em nossos relacionamentos e em todos os demais campos. Tentamos antecipar o futuro, em nossa ânsia de controlá-lo e de nos prepararmos para todos os cenários à nossa frente. Isso é fundamental. É por isso que não morremos atropelados toda vez que atravessamos uma rua. Antecipamos riscos e calculamos o momento. Não estamos livres, porém, do imponderável, do imprevisto na vida. Não vimos o carro atrás do carro, não percebemos que o motorista falava ao celular, o movimento não calculado (e incalculável, aquele que não depende de nós): morremos atropelados. John Lennon, em canção a seu filho de cinco anos, pedia, como todo pai, que a criança segurasse sua mão antes de atravessar a rua, pois "a vida é o que acontece quando você está ocupado fazendo outros planos". Em suma: planejamento é fundamental, mas "*something happens*", algo surge do nada e transforma tudo.

Se temos ciência de que nossos planos são guias úteis da razão, mas não camisas de força que nos impeçam de adaptarmo-nos às circunstâncias novas, ótimo. Hamlet vai além no monólogo. Pergunta-se se essa capacidade inequivocamente humana da prudência não poderia ser covardia. A resposta, se posso arriscar uma, é sim, em alguns casos. Quem na adolescência não ficou pensando, maquinando, lucubrando a melhor forma de dizer a uma pessoa que estava apaixonado por ela? Vivemos a cena, em nossa cabeça, mil vezes. Em alguns cenários, a tentativa termina mal e temos que recomeçar, pensando outro itinerário. Por vezes, o percurso imaginário escolhido é o certo e, apenas no sonho acordado, a angústia se transforma num beijo ou sorriso promissor. De tanto pensar, demoramos, e quando vemos nossa paixonite adolescente já está de mãos dadas com outra pessoa, que *à la* Fortimbrás atacou a Polônia com vinte mil homens sem planejar demais.

Hamlet faz um pensar sobre a natureza do pensar, sobre sua utilidade e sobre quanto o ato de pensar pode ser o que nos distingue dos animais (prudência) e quanto pode nos acovardar. Toda essa ponderação o mostra como um moderno, um príncipe filósofo, e Fortimbrás, à maneira de seu pai, um homem medieval, um príncipe da ação. Seria pensar uma ação ou a reflexão barra a ação? Conclusão, por ora, ambas as coisas: como prudência, nos faz agir bem; como excesso (*overthinking*, o pensar demasiado que paralisa), nos impede de agir. Ação é mescla sem porcentagem definida entre planejamento, sorte e momento. Hipertrofia de qualquer um dos vértices do triângulo gerará uma chance maior de fracasso. Pensar o próprio pensar sobre a ação leva Hamlet à questão da covardia e da grandeza. Diz que grandeza não é permanecer imóvel esperando uma grande causa, mas entrar em briga grande por uma palha.

A pergunta sobre o que nos torna humanos é antiga e atual. Impossível não nos lembrarmos do livro de Primo Levi, *É isto um homem?*, no qual o escritor narra seus dias de prisioneiro em Auschwitz e, diante da violência banalizada e rotineira, da fome, das privações (incluindo a privação do nome, substituído por um número), pergunta sobre o que nos torna menos ou mais bestiais. A genialidade de Levi é narrar a barbárie do Holocausto sem mágoa ou tom de vingança, mas com realismo e perspicácia quase antropológica. Ele vê duas desumanizações em Auschwitz: a dos prisioneiros, despidos dela e paulatinamente virando coisas; e a dos guardas, que ao incorporarem a eugenia e a violência nazistas abdicaram de suas humanidades e se tornaram insensíveis ao outro. Maltratavam e matavam coisas. A reificação era cíclica. Parece-me que ser humano é uma condição da qual se pode entrar e sair, não é um dado da natureza.

As maquinações e os atos de Hamlet apresentaram um efeito colateral. Ofélia, a delicada donzela, enlouqueceu com a morte do pai. Numa cena tocante (Ato V), ela encontra o rei e a rainha, tomada pela demência. Com frases desconexas e cantarolando enquanto fala, utiliza flores como símbolos do que deseja dizer. Abandonada pelo namorado, tendo perdido o pai e com o irmão longe, a jovem ficou irremediavelmente abalada. Voltamos a uma questão importante. Um homem, Hamlet, teve o pai assassinado e fica ainda mais arguto e cheio de planos. A insanidade do príncipe é fingida, ele mantém pleno uso das faculdades mentais. Uma mulher, Ofélia, perde o pai e a razão. A loucura de Ofélia é real e mostra, na peça, a visão sobre a fragilidade feminina. Shakespeare e sua plateia compartilhavam a ideia: o feminino é frágil e mais facilmente abalável. A visão sobre a histeria feminina foi elaborada por homens e acompanhará a literatura moderna e, igualmente, os primórdios da psicanálise. Shakespeare não é, e nem poderia ser, um feminista. Nosso choque com algumas cenas e ideias é um alento ao menos a como a concepção sobre o feminino mudou para algumas pessoas. Infelizmente, até hoje, haveria homens e até mulheres que concordariam com a ideia da fragilidade "natural" do feminino.

E ele não mais há de voltar?

O delírio da bela Ofélia é também um sinal de outras percepções. A música que canta é realista, amarga e até sexual. O silêncio pudico cedeu lugar a um discurso consciente e adulto. Teria ela perdido a virgindade no Dia de São Valentim ao acreditar nas promessas de casamento de Hamlet? Ou as palavras refletem apenas um desejo de algo que não se realizou, afinal ela demonstrou antes ter atendido tanto o irmão quanto o pai no tocante a preservar sua pureza. Ofélia enlouquece mais sexualizada do que se apresentara até então.

Numa curta passagem, Horácio recebe a carta de Hamlet, avisando que o navio em que estava fora tomado por piratas. Ele negociara sua escapatória e estava de volta à Dinamarca. Pedia que comunicasse o fato ao rei. A notícia chegara a ele sem demora. Na cena seguinte, a última deste ato tumultuado e tenso, vemos que Laertes voltou de Paris. Está transtornado e furioso. Soube da morte do pai e invade o castelo como um guerreiro ferido gritando por justiça. O tema da fúria guerreira é um clássico. Na *Odisseia*, de Homero, a fúria de Aquiles pela morte do amigo-amante, Pátroclo, leva a um novo ciclo de acontecimentos. Aquiles mata Heitor e ainda, requinte de crueldade, arrasta seu corpo ao redor das muralhas. O rei de Troia, pai de Heitor, deve ir ao acampamento grego implorar o direito de enterrar o filho com honras e ritos, sem os quais o espírito do bravo troiano vagaria para sempre sem destino.

Laertes é um novo Aquiles e começa a entrar no palácio com alarido e raiva. Tem a aura, o desejo de vingança, mas não a invulnerabilidade ou o favor dos deuses que Aquiles tinha. O rei o recebe e teme num primeiro instante. Lentamente, Cláudio instiga no filho de Polônio o veneno do complô vingativo. O rei funciona por vias indiretas: usa os amigos de Hamlet, usa Ofélia, usa Polônio, usa o rei da Inglaterra e, agora, pretende usar Laertes. Cláudio destila fel no ouvido do órfão como deitara veneno na orelha do irmão. O rei quer eliminar o enteado perigoso e Laertes quer o sangue de Hamlet para vingar a morte do pai. Cria-se a última dupla criminosa da peça. Existe uma justiça de Talião: olho por olho e dente por dente, mas ela reside em Laertes. A vingança de Cláudio é em defesa de si e dos seus atos. Laertes será um duelante, e Cláudio, um intrigante traiçoeiro. Ambos sujarão as mãos quebrando as regras da honra num combate formal.

Quando o rei consegue submeter Laertes à sua vontade, haverá ainda outro capricho trágico. Antes de revelá-lo, um adendo: Laertes, segundo o raciocínio usado por Hamlet para seus ex-amigos, Rosencrantz e Guildenstern, perdera a humanidade. Ao aceitar agir em nome do rei, diz "vou me deixar guiar" pelo soberano. Tornou-se uma castanha na boca de Cláudio, uma esponja como tantos outros. Agora, a tragédia: a rainha entra em cena e traz notícias terríveis. Ofélia morrera afogada. Ao afogar-se, ela teria escolhido deliberadamente a morte? O suicídio era um tabu, pecado terrível. Ninguém pode tirar a própria vida. Cabe ao Senhor escolher a hora em que alguém entra ou sai do mundo. Mas, enlouquecida, ela realmente poderia ter escorregado enquanto tentava pregar guirlandas de flores num galho perto do riacho. Caída nas águas, cantava, alheia à sua sorte. O peso das roupas molhadas e a fragilidade feminina causaram seu afogamento.

A tristeza do irmão, com o coração sangrando ainda pelo pai, torna-se pungente. Mesmo assim, mais uma vez, o feminino é o modelo da fragilidade na mente renascentista. Laertes segue Hamlet na ideia sobre o feminino. Sentindo vontade de chorar, proclama: "Findo o pranto, o meu lado feminino terá cessado."

No século XIX, a cena do suicídio-acidente de Ofélia, vida ceifada em sua juventude, ganhou imenso destaque nas artes europeias e brasileiras. Adquire especial destaque nos poemas simbolistas, inclusive nos brasileiros. Em vários movimentos estéticos e poéticos do século, o tema da morte, do suicídio e da juventude foi muito caro. No simbolismo brasileiro, por exemplo, Cruz e Sousa e Alphonsus de Guimaraens retrataram Ofélia. No soneto "Exilada", Cruz e Sousa pede que Ofélia, como uma alegoria do perigo da loucura/suicídio, volte à sua terra de origem, deixando estas trópicas paragens, onde não devia se instalar. A sexualidade de Ofélia vem à tona no poema "Boca", em que o mesmo poeta retrata o desejo de várias formas, como na "Boca de Ofélia morta sobre o lago,/ dentre a auréola de luz do sonho vago/ e os faunos leves do luar inquietos.../ Estranha boca virginal, cheirosa,/ boca de mirra e incensos, milagrosa/ nos filtros e nos tóxicos secretos". O "soneto de Ofélia", de Guimaraens, é fúnebre e traz essa mistura do desejo reprimido por Hamlet e o trágico do suicídio: "Formosa como vou, com flores novas/ Beijando a minha cor de lua cheia,/ O Príncipe ter-me-á Eterno Afeto." A recorrência da imagem de Ofélia morta no riacho é atraída pela ideia de uma espécie de dissolução da personagem na água, uma metáfora bastante atraente para o fim do século retrasado, em que poetas e artistas buscavam "mergulhar no nada e no vazio".

Talvez quem tenha imortalizado a cena, mais do que o teatro e a poesia, tenha sido a Irmandade Pré-Rafaelita, um grupo de pintores ingleses que, em meados do século XIX, rompeu com o cânone da English Royal Academy of Arts. Esse cânone havia promovido Rafael, Michelangelo e os maneiristas como o período áureo da pintura. Os pré-rafaelitas, como o nome sugere, voltaram a se debruçar na arte italiana do *Quattrocento*, além de desenvolver um interesse profundo em botânica e na ideia de mimese da natureza, criando pinturas em estilo ultrarrealista e com estudos de luz e composição bastante complexos.

No Tate, em Londres, está a tela *Ophelia*, de John Everett Millais, pintada entre 1851 e 1852. Nela, o suicídio é quase inescapável. A jovem ainda está viva e, plácida, com olhar vago e perdido, parece cantarolar algo bem baixinho. Tem as mãos para cima (numa referência direta às raízes e aos galhos da árvore tombada atrás dela), mas os braços e o restante do corpo já estão submersos no riacho, sugerindo que estamos diante dos instantes finais de Ofélia, que aceitou seu destino (ou o fabricou). Ela está cercada de flores, algumas constantes da versão original de Shakespeare, outras por inclusão do pintor. Todas têm significados. Atrás da cabeça de Ofélia, há flores relacionadas a enterros e que homenageiam os mortos. Em volta de seu pescoço e na altura do colo, quase submersas, estão violetas, símbolo de fidelidade, mas também de castidade. Morreu fiel a Hamlet ou ao pai? A melancolia típica da arte vitoriana remoçou a melancolia de Hamlet e Ofélia. Na versão de Kenneth Branagh para a peça, o diretor deliberadamente baseou sua Ofélia na de Millais.

Quinze anos antes, na França, outro artista apaixonado por Shakespeare, Delacroix, pintou a mesma cena. Erotizou muito mais a jovem, que aparece com os seios à mostra. Para os românticos, a ideia de uma sexualidade absorta, contida, rivalizando com a perda da inocência numa cena de morte, era incrivelmente atrativa. Por pudor ou por interpretação, Delacroix a representa pegada a um galho, com rosto que mostra algum pânico. Não parece querer se suicidar, embora a fragilidade do feminino (e da vida) esteja na cena. O curioso ou o dúbio é quão rasa é a água. Afogar-se ali deveria ser um ato de vontade.

Por fim, outra representação que poupou a dúvida do suicídio foi a série de telas de John William Waterhouse, pintor inglês da virada para o século XX, fortemente influenciado pelos pré-rafaelitas e pelo impressionismo. Ele pintou versões de Ofélia em 1889, 1894 e 1910. Mulheres colhendo flores foram uma obsessão temática. A mais impactante é a de 1894, em que vemos a jovem distraída, pondo flores no cabelo sentada num tronco caído, acima do riacho. Sabemos que ela cairá em breve, mas também ficamos com a sensação de que ela não cometeu suicídio.

Morte acidental ou suicídio, a pobre jovem morreu cantando. Por que Gertrudes não tentou salvá-la, uma vez que foi a rainha quem descreveu – com incríveis detalhes – a morte da infeliz menina? Ou estaria Gertrudes ajudando Ofélia ao ocultar a verdade do suicídio, não havia escapatória possível, a morte seria uma bênção disfarçada? No ato seguinte, a mesma rainha dirá que gostaria de depositar flores no leito nupcial da jovem, não sobre sua cova. Há duas mulheres e dois ramalhetes de flores. Ofélia segura flores simbólicas que acompanham sua desilusão. Gertrudes usa flores fúnebres que marcam seu pesar.

ATO V

O FIM ESTÁ PRÓXIMO

O quinto ato encerra a mais longa peça de Shakespeare. Hamlet sobreviveu aos planos do rei Cláudio e voltou para Elsinore. Ainda sem saber sobre a morte de Ofélia, começa tendo um diálogo com os dois coveiros que abrem a sepultura. O primeiro coveiro é uma personagem de grande sagacidade. Talvez seja a única pessoa que enfrenta Hamlet intelectualmente. Antes da interferência da chegada do príncipe, ele explica de forma irônica o motivo de uma morte com suspeita de suicídio ter recebido a atenção do solo sagrado do cemitério, algo interditado aos que tiravam a própria vida. No fundo, usa um argumento que será repetido pelo padre logo depois: foi pressão de cima, ou seja, da casa real, que propiciou isso.

O coveiro vive entre ossos e sepulturas, é justo que tenha um olhar realista sobre a brevidade da vida e o caráter vazio das vaidades humanas. Pode-se colocá-lo ao lado de outras personagens sagazes brilhantes, como Falstaff, que aparece em *Henrique IV* (partes I e II), *Henrique V* e *As alegres comadres de Windsor*; Feste, de *Noite de Reis*, e Mercutio em *Romeu e Julieta*. Essas personagens conseguem sempre, sem ilusões, enxergar o que as outras não veem. Em quase tudo, o coveiro parece ser mais lúcido do que Hamlet, já famoso pela sua consciência das coisas.

Como já tinha ocorrido ao longo da peça, há um debate teológico envolvendo várias questões que reaparecem na cena do cemitério. O mundo religioso de Shakespeare era policromático: a Inglaterra era, oficialmente, anglicana. Na era da Rainha Virgem, havia certa tolerância com outras fés reformadas que dialogavam com o calvinismo. Shakespeare era um homem oficialmente ligado à Igreja do Estado, mas há muitos indícios de que viesse de uma tradição papista ou até que ele próprio fosse um "católico disfarçado" por conveniência. Quase todos os padres são simpáticos nas peças de Shakespeare, com algumas exceções notáveis dos bispos do início da peça *Henrique V*, que planejam lançar o rei no campo de batalha para que retire o foco do poder e a taxação sobre os bens da Igreja. O padre do enterro de Ofélia, veremos, é um legalista, porém aceita e se submete às pressões superiores. Eis a tapeçaria complexa: uma plateia dominantemente protestante no público dos teatros, uma rainha anglicana, um autor com simpatia pelo catolicismo e uma peça, *Hamlet*, medieval e, portanto, absolutamente passada em ambiente católico.

Uma pista curiosa: quando *Hamlet* estreou, possivelmente em 1601, Shakespeare sabia muito da Reforma Luterana que se iniciara em 1517 exatamente no lugar em que ele coloca Hamlet para estudar: Wittenberg. Lá, Lutero tornara públicas suas "95 teses" que seriam o estopim do movimento reformista da Idade Moderna. Hamlet é um homem, na prática, do Renascimento. Sua visão de mundo inclui Deus, porém sua ação é mais um diálogo com Maquiavel (dizem que Shakespeare conhecera a obra) do que com os Evangelhos. Hamlet não age num mundo teocêntrico. Seu pai fora um guerreiro medieval clássico. O príncipe está longe da Idade Média.

Haveria um longo e fascinante debate a fazer: as relações entre temas das peças e o painel religioso agitado da Inglaterra moderna. Temas como livre-arbítrio, predestinação, justificação pela graça ou por boas obras, misericórdia divina, Divina Providência, a existência do Purgatório revelada pelo fantasma do pai e muitos outros temas só podem ser plenamente compreendidos com o quadro indicado antes: religião do autor, crenças do público, instituições sagradas na época da peça que, como vimos, parecem divergir. A cena do cemitério traz mais uma passagem que dialoga com as complexidades da fé elisabetana.

Voltemos aos trabalhadores. No debate do primeiro com o segundo coveiro, há uma crítica social e intelectual. O primeiro imita o falar jurídico e, no fundo, denuncia que a lei não é igual para todos. Não existe isonomia jurídica e denunciar isso parecia não causar censura ao dramaturgo. Também há uma piada que deve ter sacudido os espaços teatrais da época. Hamlet foi mandado para se curar na Inglaterra e o coveiro afirma que não haverá problema se ele não recuperar a saúde mental, porque em solo inglês todos são loucos e ninguém notará a diferença. Loucos, palhaços e parvos podiam dizer quase tudo no teatro de então, pois eram afastados da razão e poupados em sua loucura. Quando um parvo, que metralha palavrões a cada segundo, aparece no porto criado por Gil Vicente (outro gênio do teatro do século XVI) para representar a partida da alma para o além-morte, ele fica em dúvida se deve embarcar na nau do Diabo ou do Anjo. O Demônio tenta empurrá-lo para seu barco, mas o Anjo intervém e diz: "Tu passarás, se quiseres;/ Porque em todos os teus afazeres,/ Por malícia não erraste. Da tua simpleza te bastastes,/ Para gozar dos prazeres."

Há várias referências históricas aqui. Uma delas era a figura do louco e da loucura, de que já tratamos anteriormente. Mas também há a figura do homem simples, por isso mesmo verdadeiro, desafiador. Parte da inteligência europeia no século XVI acreditava fortemente que pessoas simples, sem formação, eram mais capazes de serem verdadeiras do que muitos eruditos e letrados. A própria simplicidade as impediria de florear discursos e distorcer argumentos apenas para, retoricamente, ganhar uma discussão. A verdade era simples e vinha sem esforços naqueles cujo pensamento era quase tosco. Montaigne, no célebre ensaio sobre os canibais, revela que levou um servo de sua propriedade para conversar com os índios em Ruão. Esse camponês havia morado no Brasil e era homem "simples e rude, condição própria de um verdadeiro testemunho, porque os espíritos finos, conquanto observem com maior cuidado e maior número de coisas (...), não resistem ao prazer de alterar um pouco a história". Há dois tipos de pessoas em quem se pode confiar, diz o francês: homens que nos são de grande fidelidade ou tão simples que não tenham "por que fantasiar e sacrificar o verdadeiro aspecto das coisas às suas falsas invenções". O coveiro não era fiel a Hamlet, mas sua simplicidade, seu conhecimento de brevidade e efemeridade da vida eram indisputáveis.

Outra referência de Shakespeare era teatral. Desde a Grécia, especialmente em comédias, utilizava-se a inversão para surpreender a plateia. De personagens cultas e bem formadas, o público ganhava corrupção e decadência. Do escravo, do rude, do malformado, alguma virtude (às vezes disfarçada em meio a esquemas e maquinações), muita sagacidade e inteligência. O diálogo entre Demóstenes e o salsicheiro na peça *Os cavaleiros de Aristófanes* mostra um velhaco convencendo um homem rude, mal-educado, tosco, e justamente nessa condição de patife residia sua maior virtude para se tornar um político.

Para uma plateia mais popular à beira do Tâmisa, as ironias sobre a interpretação do direito canônico ou da linguagem hermética dos advogados era um prato cheio. A conversa na tumba é a maneira popular de perceber como funcionam "os de cima".

A cena do cemitério evoca o gênero *vanitas*, pinturas nas quais a brevidade da existência é colocada de forma direta. Nos quadros dessa linha aparecem caveiras, velas apagadas, ampulhetas e flores murchas. O objetivo das pinturas é fazer um *memento mori*, uma lembrança da morte inexorável como única certeza de todos. "Lembra-te que és pó e ao pó hás de voltar" será a tônica da cena inicial, misturando reflexão sobre memória, diferenças sociais e o papel nivelador da foice fatal da "indesejada".

A conversa entre os coveiros é interrompida pela chegada de Hamlet e Horácio. O príncipe indaga se o crânio ainda possuiria uma língua e se poderia adular ou mentir agora. Ele quase desafia a caveira a tentar. Seu desprezo pela soberba humana aumenta quando olha para os restos de um advogado e questiona onde repousariam, agora, suas artimanhas retóricas. Mesmo Alexandre Magno, a figura de maior destaque na galeria das glórias terrenas, aqui é lembrado como parte da argila comum. Retoma uma parte do pensamento sobre os vermes e os reis quando o rei indagara sobre o destino do corpo de Polônio. Até aqui, os ossos despertaram pouca compaixão no dinamarquês. Hamlet parece se afastar da solidariedade dos humanos vivos e mortos.

A frieza algo cínica do príncipe recebe um golpe. Uma figura o atinge como flecha voadora: saber que está diante do que restou de Yorick, o bobo da corte que brincava com ele na infância e lhe causava infinita alegria. Mais uma pista indireta: o pai causava no príncipe imenso respeito e admiração, mas vivia em guerra. A companhia do bobo da corte era mais frequente do que a do próprio genitor. A memória de Yorick toca o coração do príncipe. Instantes depois, outra cena despertará o arrebatamento emocional de Hamlet.

Havia uma cultura que, segundo o historiador Johan Huizinga, formara-se no outono da Idade Média em torno da morte. A peste que assolou a Europa no século XIV tornara a morte cotidiana, ineludível. O triunfo da morte foi responsável por uma profunda mudança de comportamento: de que adiantava o dinheiro, a fama, a glória, a nobreza? A morte igualava a todos. Esse sentimento da igualdade de todos diante do fim gerou quadros, textos (como o *Decamerão*, de Boccaccio) e gravuras. Continente adentro, encontramos cenas da Dança Macabra, em que esqueletos bailam uma ciranda com bispos, nobres e homens comuns: a ceifadora é democrática. Houve um movimento muito forte na reprodução de corpos em estado de putrefação em pinturas, no aumento da devoção de mártires como santa Catarina e santa Ágata.

O receio, mas a aceitação tácita do fim, mudou a maneira de pensar e criou a cultura da "boa morte": era necessário estar atento ao fim e prepará-lo, pedir perdão, acertar as contas antes que fosse tarde. Se você morresse hoje, sua alma entraria na barca do Inferno ou na do Céu? Na Inglaterra de Shakespeare, a morte sem preparo de seu pai (que não tivera tempo de preparar sua despedida, livrando-se de pecados e faltas) e o desfile de caveiras que saem da terra mostrando que um bobo da corte, um advogado e Alexandre, o Grande viravam a mesma coisa ecoavam uma dança macabra. Somos pó e ao pó voltaremos, diz Gn. 3,19. Mas também dizia algo similar um pensador romano que estava sendo redescoberto no século XVI: Lucrécio. Stephen Greenblatt afirma que "embora Shakespeare não tivesse frequentado Oxford ou Cambridge, seu latim era bom o suficiente para ler por conta própria o poema de Lucrécio". Além disso, certamente foi leitor de Montaigne e de trechos dos seus *Ensaios*. De forma muito concisa, o filósofo epicurista dizia que somos poeira de estrelas, ou seja, que nossas almas e nossso corpos são compostos de átomos. Logo, não haveria vida após a morte e uma alma imortal, apenas um rearranjo de átomos em novas formas. As religiões seriam, nesse sentido, fabricações perversas pois nada poderiam nos legar que não dor e privação: de que adiantaria mortificar o corpo, por exemplo, querendo uma vida eterna? Em *Romeu e Julieta*, Mercutio descreve a rainha Mab como uma parteira de fadas, que entra na pele dos humanos (como a herpes), como "uma junta de pequenos átomos". Hamlet é mais ambíguo, mas a junção entre o Gênesis e a ideia de poeira de estrelas é poderosa.

A pobre Ofélia

Ainda entretido com os diálogos com caveiras e coveiros, Hamlet percebe, estarrecido, que o enterro é de Ofélia. Laertes, abalado pela morte combinada do pai e da irmã, segue pesaroso e discute com o padre, que se nega a dar mais pompa ao evento. A situação nebulosa da morte de Ofélia indica cuidados: aos suicidas era vedado o campo santo. Na verdade, o texto não esclarece com nitidez se Ofélia se matou. Parece que sua loucura a levou a tecer guirlandas de flores e que, tentando instalar-se num galho frágil de árvores, caiu na água e se afogou com o peso das roupas encharcadas. A descrição da morte pela rainha indica mais alguém que não lutou em desespero pela vida do que uma suicida que tira sua vida intencionalmente.

A roda da fortuna gira mais um pouco. Hamlet e Laertes se descobrem e ocorre uma luta dentro da cova. O príncipe insiste que amou Ofélia mais do que todos e que está em luto tão profundo quanto Laertes. Depois de manifestar respeito pelo pai e memória emotiva por Yorick, chegou a vez de Hamlet confessar o que negara para a namorada em vida: "Eu amei Ofélia." Que diferença enorme teria causado essa confissão quando a filha de Polônio indagou dele o que sentia por ela e recebeu apenas frieza e ironias. Pior: Hamlet rogou uma praga na moça, de que mesmo vivendo em absoluta moralidade e castidade, seria injuriada e caluniada. Agora, o inconstante príncipe confessa que amou Ofélia. Podemos acreditar na declaração póstuma de afeto? Harold Bloom aconselha que desconfiemos.

Para conhecer bem um homem é preciso conhecer a si mesmo

A cena dois é a última do livro. Todo o Ato V é curto. Abre-se num diálogo entre Horácio e Hamlet. Agora, todos sabiam que ele havia retornado da Inglaterra. O plano de Cláudio de ver o sobrinho morto fora por água abaixo. O príncipe faz uma minuciosa descrição das aventuras no barco e conta a Horácio sobre como escapou da morte. Num momento de distração de seus ex--amigos, leu a carta que eles levavam com sua sentença de morte. Logo redigiu outra, dizendo que o leitor deveria imediatamente assassinar os homens que acompanhavam o príncipe. Então, trocou as cartas e condenou, com a manobra, Rosencrantz e Guildenstern à morte. Novamente ficamos estarrecidos com a frieza do príncipe em relação à vida humana, similar ou pior do que no homicídio de Polônio. Diz Hamlet: "A minha consciência não me pesa: a derrota os aguarda, cresce por culpa deles. É um perigo para os fracos postar-se entre a passagem e as pontas venenosas do inimigo."

Além de um desprezo olímpico pela vida dos dois, ele ainda exerce uma arrogância social e política: os falsos amigos eram de baixa extração e ficaram metidos em negócios e brigas de gente de alta estirpe. Hamlet conseguiu mostrar-se insensível à vida e ainda arrogante. No monólogo mais famoso ele perguntava como era possível suportar "a ingratidão no amor, a lei tardia, o orgulho dos que mandam, o desprezo que a paciência atura dos indignos". Curiosamente, ele foi ingrato em relação ao amor de Ofélia e, com o comentário sobre a morte dos ex-colegas de universidade, mostrou que era tomado da clássica arrogância de um nobre contra plebeus simples. Mais intenso o pensamento se levarmos em conta que a frase veio após ele ter feito considerações densas sobre a brevidade da vida, o fogo-fátuo da vaidade e a morte que iguala até Alexandre Magno. Talvez seja esse um dos fascínios de Hamlet, ele está a anos-luz da perfeição, manipula, mata, mente, finge e mostra vaidade e desprezo na mesma proporção em que revela virtudes e consciência épicas. Fealdade na alma e fora do padrão idealizado de um príncipe: na cena do duelo mais adiante a mãe diz que o filho está gordo. Todos sabemos: quando a mãe vê defeito no filho, ele deveria estar ainda pior. Nosso herói-vilão é, enfim, um ser humano e foge de padrões maniqueístas tão presentes na ficção de ontem e de hoje. O vilão típico, Cláudio, matou uma pessoa; o herói, Hamlet, muitas mais.

Os jogos e manipulações prosseguem quando o rei envia um cavaleiro afetado. Hamlet o humilha ao fazê-lo colocar e tirar o chapéu apenas para demonstrar o mesmo que fizera com Polônio em relação às formas das nuvens: o cortesão, o áulico, as pessoas que giravam ao redor do sol do rei eram aduladores e manipulavam a verdade para efeito de benefícios da Coroa. Hamlet odeia a mentira nos outros e é bastante tolerante com ele mesmo. De novo, Hamlet é um ser humano. Quando se sente superior, humilha o oponente.

O dinamarquês já havia deitado seu fel misógino quando afirmava que a inconstância (ou fragilidade) era atributo feminino. Na cena dois do Ato V ele piora tudo quando fala de estar com sensações de risco diante do duelo com Laertes: "Isso é tolice, mas é a espécie de pressentimento que talvez perturbasse uma mulher." Harold Bloom se irritava quando perguntavam dos "defeitos" de Shakespeare: seu antijudaísmo, sua misoginia, sua submissão ao caráter ordenador da monarquia absoluta e sua demofobia (mesmo que criasse personagens populares memoráveis). Há razão na raiva do crítico norte-americano: como cobrar de uma personagem ou de um autor valores que nos são caros hoje? Hamlet não era feminista e também não tinha celular. Nada mais anacrônico do que julgar Aristóteles pela sua defesa da escravidão ou Shakespeare pela misoginia. É provável que passagens destacando as limitações que Shakespeare imaginava para o feminino causassem muitas risadas nas plateias, inclusive entre mulheres. Estávamos a séculos de distância da emersão de alguns valores e de uma linguagem politicamente correta. Num país que sofrera desgraças enormes governado por homens, foram rainhas que presidiram eras de estabilidade e prosperidade: Elisabete I, Vitória e Elisabete II. Shakespeare admirava a soberana genuinamente e, mesmo assim, manifestava a visão masculina do mundo moderno. Voltemos à nossa peça.

Traição, traição

O rei tomara providências extras para que aquele fosse o fim de seu sobrinho. O plano real tenta não deixar arestas ou fios soltos. Ele também pensa na hipótese de o sobrinho azarão não ser ferido. Nesse caso, pediria vinho para se refrescar. Conclusão: veneno no vinho. Seria o mesmo que usara para matar o próprio irmão? Segunda conclusão da vilania de Cláudio: envenenar também a ponta da espada de Laertes, pois se o ferimento fosse leve ainda assim seria letal. Com espada com ponta, veneno no vinho e na espada de Laertes, garantia por múltiplos meios a morte do enteado-sobrinho incômodo.

O combate chegou. Toda a corte se reúne para ver. O rei e a rainha também estão lá. Hamlet pede desculpas a Laertes, que o culpa pela morte do pai e da irmã. Com recurso retórico elaborado, afirma que estava louco e que a sua loucura ofendeu Laertes e Hamlet. Enaltece o adversário, como era o código de um cavaleiro medieval e um cavalheiro da corte: "Laertes, eu serei o teu contraste; como uma estrela na sombria noite, tua destreza brilhará nos lances." Tudo indica que o príncipe está em pleno domínio da razão e da emoção. Mal iniciado o duelo, Hamlet exige do juiz que reconheça os toques que provocou com sua arma no adversário. O jogo-duelo que seria de reconciliação transforma-se em luta de verdade. A vaidade e o calor da luta em Hamlet, o ódio e a peleja em Laertes transformam o lúdico em mortal. O interessante é que tanto Hamlet quanto Laertes estão ali para vingar o assassinato dos respectivos pais. O dever filial, um pouco afetivo e um pouco ritual, leva os esgrimistas ao destino trágico.

O aleatório do destino revela sua face soberana. A rainha bebe da taça envenenada. O texto não diz, mas quase todas as encenações teatrais ou do cinema mostram uma Gertrudes cada vez mais desconfiada da insistência de Cláudio em fazer Hamlet sorver o líquido deletério. É uma boa solução imaginativa, o que conferiria a Gertrudes, se houve essa consciência, um senso de sacrifício e de proteção ao filho em grau elevadíssimo. Também significaria que ela, depois de ter sido cegada pela paixão, olhava para o rei com os olhos que Hamlet pedira que ela usasse quando proferiu frases fortes na cena do quarto. Gertrudes talvez, no final, jogara fora a parte podre do seu coração e se apegara ao que havia de mais forte: o amor ao filho. A mãe venceu a mulher, como era do gosto de uma plateia elisabetana. Sua última frase contém um gesto de carinho: "O vinho, o vinho, meu querido Hamlet! Estou envenenada." Seu filho agora era seu querido e seu marido não constava na derradeira fala.

Talvez nem sempre a rainha tenha sabido viver ao gosto de Hamlet, mas soubera morrer com uma dignidade forte e, possivelmente, como mártir da maternidade. De novo: nada no texto indica que houve essa consciência e tudo pode ser o nosso desejo atual de transferir para a figura materna valores que os séculos XVI e XVII desconheciam. Se o afeto de Gertrudes pelo filho parece ter encontrado um sentido mais claro no final, a despedida hamletiana diante do corpo morto da mãe é, no mínimo, fria: "Adeus, pobre rainha." Se Gertrudes sobrepujou a paixão de mulher para reencontrar o papel de mãe, Hamlet ignora a mãe e se refere ao título. Gertrudes morre pelo fruto do seu ventre, Hamlet se despede da rainha e não da mãe. Um obrigado, uma lágrima e um certo ar de luto nos deixariam mais tranquilos com o príncipe. Nada! Ele apenas fala da vingança e do seu "manchado nome".

O desenlace é óbvio. A mãe morta e Laertes confessando a trama urdida pelo rei catapultam a fúria do príncipe sobre Cláudio. Não apenas o fere com a espada assassina, mas ainda o força a tomar mais veneno que sobrara da taça. "Incestuoso e danado, bebe agora esta poção. Nela está tua jura. Vá, segue a minha mãe." A frase é curiosa, pois parece indicar que Cláudio e Gertrudes irão para o mesmo lugar no além. Ou seria apenas uma descrição de ordem cronológica?

O detalhe que não pode nos escapar desse final trágico: o rei só morre depois que todos ficam sabendo de sua culpa. O coro gritara "traição, traição", pouco antes de seu último suspiro. Apenas nesse ponto o espectro fora vingado: sua memória fora restaurada, mas qual o custo da vingança?

O resto é silêncio

Começa a reta final. Laertes estava ferido e envenenado, a rainha e o rei mortos, Hamlet sangra e sabe que tem pouco tempo de vida, pois o veneno corre em suas veias. Seria o mesmo que matara seu pai? O envenenador é o mesmo: Cláudio.

Como a linguagem de Shakespeare é reflexiva e não apenas informativa, Hamlet diz muitas coisas a Horácio. Pede ao amigo que narre tudo com fidelidade para que seu nome não seja manchado no futuro. Indica a coroa para Fortimbrás, que, vitorioso, retorna da campanha na Polônia. Depois de tudo, o príncipe encerra sua imensa participação na obra com a frase famosa: "O resto é silêncio." Talvez não exista mais nada a ser dito, tudo tenha sido exposto. Dentro da tradição trágica clássica, o desequilíbrio (*hybris*) gerou toda a trama (no caso, o regicídio e a usurpação do trono), e com os culpados todos punidos e o poder refeito legitimamente na figura de Fortimbrás restaura-se por completo a ordem social, moral e política. Hamlet odiara Cláudio por causa do pai, Laertes odiara Hamlet também por causa do pai e Fortimbrás era filho do homem que fora derrotado pelo pai de Hamlet. São vários pais derrotados e mortos e a vitória pertence a Fortimbrás, personagem que só aparece em carne e osso nos versos finais.

Shakespeare ama a ordem e ama a glória do nome. Horácio é o único sobrevivente da cena macabra. Estudos mais recentes jogam luz sobre a possível etimologia do nome *Horatius*: "Orador da razão" (*Orator ratio*). A ele caberia narrar tudo o que se passara. Sabemos pouco dessa testemunha central: desconhecemos sua origem, sabemos que era "velho amigo" de Hamlet, que frequentara Wittenberg com ele, que era visto como um homem da razão (Ato I), que estivera com Hamlet pai na derrota das forças de Fortimbrás anos atrás. O homem quase anônimo era, com efeito, a testemunha mais frequente de todas as partes da trama. Como partícipe que pode relatar tudo com veracidade e restaurar o derradeiro abalo: a boa reputação de Hamlet. Na morte, o príncipe atinge seus objetivos. O assassino foi punido. Os efeitos colaterais são gigantescos. A Dinamarca terá de trocar de dinastia, de nacionalidade do governante, e o "núcleo duro" da corte está morto. Da família real, o velho rei, a rainha, o novo rei e o herdeiro estão todos destruídos. Fortimbrás tem o campo livre para refazer o brilho da Coroa a seu modo. Polônio, Ofélia, Gertrudes, Laertes e mesmo Cláudio morreram sem um planejamento prévio. Somente o assassinato do velho rei e o de Hamlet foram planejados, ambos por Cláudio. O vitorioso sobre a Polônia é o homem da nova ordem: militar e sem grandes devaneios, o mundo da força e da prática. Hamlet era o humanista que teria vivido melhor na biblioteca da universidade do que nos jogos da corte. Fortimbrás marcha e Hamlet pensa. Fortimbrás é decidido e rápido ao dar ordens para o funeral,

Hamlet levou cinco atos para concretizar a vingança tramada no início da obra. Fortimbrás manda enterrar Hamlet como a coisa que ele jamais fora: um soldado.

A prevalência do sentido filosófico ou psicologizante nas leituras de *Hamlet* costuma eliminar a cena final. A peça começara com soldados guardando as muralhas, Bernardo e Francisco, ambos temerosos de uma invasão. A cena final é a fala de Fortimbrás, o invasor temido que ordena que Hamlet seja erguido por quatro capitães com muitas honras nas exéquias. Diante do desenlace com tantos cadáveres, o invasor comenta que o ritual é mais coerente com o campo de batalha e não com salões reais. "Que atirem os soldados" é a frase final da peça. Soarão canhões em memória do príncipe. Também, detalhe importante, como o príncipe Escalo lembrara na peça *Romeu e Julieta* e como Próspero restaurara o poder legítimo na peça *A tempestade*, o poder consagrado tem o direito do monopólio da força. Estamos vivendo o absolutismo. Shakespeare não reclama do poder em si, mas da sua perturbação fora da ordem (como em *Ricardo II* ou *Ricardo III*). Quando a coroa recai sobre cabeça justa, guerreira e legítima, como em *Henrique V*, tudo se subverte. Macbeth e Lear erram de formas variadas, todavia ambos são punidos com a morte, um por ser regicida, outro por não saber distinguir sinceridade de falsidade nas filhas. No embate entre o republicano Brutus e o monárquico Marco Antônio (peça *Júlio César*) existe certa dignidade no apego à liberdade do assassino de César, mas a vitória é de Marco Antônio. Shakespeare ama a coroa dinasticamente legítima, soberanos cumpridores da lei e que sufocam rebeliões de súditos rebeldes. Um cetro justo e um trono limpo excitam a imaginação política do bardo. Quando se abala a ordem das coisas, até a natureza parece revoltada, como na cena da tempestade na peça *Rei Lear*, uma das mais dramáticas saídas da pena do autor de Stratford-upon-Avon.

Na Bíblia, quando o povo pede um rei, Deus, pela figura do seu profeta, adverte que será uma escolha com consequências graves. Diz o Altíssimo a Samuel: "Atende-os, mas adverte-os seriamente, dando-lhes a conhecer os direitos do rei que reinará sobre eles." (I Samuel, 8,9). Deus, como sempre, tinha razão, e o primeiro rei, Saul, foi um desastre. O interessante na advertência divina é que eles querem um rei e isso desviará o povo eleito do seu verdadeiro governante, a saber, Deus. Mais interessante notar que o Deus de Israel é mais republicano do que Shakespeare.

O início e o fim da peça envolvem militares. Cláudio tinha se revelado um soberano hábil diplomaticamente, evitando as guerras custosas de seu irmão e enviando diplomatas. Porém, Cláudio quebra dois elos que atam o poder à sua ordem correta: era uma coroa usurpada e manchada de sangue. O regicídio e a posse da casa real não são sustentáveis e todo o universo se abala na Dinamarca. Sim, a nós interessam mais os dramas internos da peça, e, provavelmente, se alguém pedir ao leitor médio da peça que fale de Fortimbrás, há chance que o nome escape à memória. Isso prova quanto nossa época valoriza o indivíduo e sua consciência e menos Estado e poder. Shakespeare se interessa pelos dois planos: o psicológico e o político.

Citamos tantas vezes Harold Bloom que é justo deixá-lo falar com mais calma por si:

> O mal de Elsinore é o mal de todo tempo e lugar. Todo Estado tem algo de podre, e os que têm sensibilidade semelhante à de Hamlet cedo ou tarde vão se rebelar. A tragédia de Hamlet, em última análise, é a tragédia da personalidade: o carismático não consegue deixar de se submeter à autoridade do médico; Cláudio

é mero acidente; o único inimigo loquaz de Hamlet é o próprio Hamlet. (...) Mas a preocupação (com o manchado nome) é relativa: a melodia transcendental da cognição ressurge em tom festivo no fim da tragédia de Hamlet, consolidando o triunfo secular – "o resto é silêncio". O que jamais descansa, e o que vigora antes do silêncio, é o valor singular da personalidade de Hamlet, o que também podemos denominar de "sublime canônico".*

Voltamos à pergunta inicial: o que aprendi com *Hamlet*? Vivendo no Brasil, o "podre" da Dinamarca sempre parece mais isolado e digno. Hamlet resiste a comparações extemporâneas. Aprendemos que Hamlet ensina a pensar, que sai das profundezas internas da "noz" hamletiana para a vastidão do jogo político. *Hamlet* faz emergir o homem e seus limites morais, as artimanhas astuciosas de poder e da culpa, os fingimentos sociais, o amor desenfreado ou reprimido, o custo de enfrentar o mundo como "um mar de escolhos" previsto no monólogo e dezenas de outros temas atemporais. Lemos e somos lidos pelo dinamarquês. Dante, Cervantes e Shakespeare formam três colunas sólidas sobre as quais repousa uma parte expressiva da nossa identidade e individualidade. O melhor de tudo: mesmo sendo um ser impressionante, Hamlet é suficientemente falho para que não pareça uma personagem clássica a seguir apenas altos desígnios. Ele é livre e seu maior obstáculo, como disse o autor citado, é ele mesmo.

Ler e entender a peça nunca termina. A cada volta da nossa vida nós o relemos e, como toda obra canônica, descobrimos um novo viés. O texto não se esgota porque as vastidões da consciência e as máscaras que usamos para evitá-las são a tensão eterna da vida.

---

* BLOOM, Harold. *Shakespeare: a invenção do humano*. São Paulo: Objetiva, 1998, p. 534-35.

A última lição, possivelmente, é a morte, como foi para o príncipe. Ele e todos nós só poderemos entrar no grande silêncio se esgotadas todas as experiências biográficas. O mundo silencia quando nós nos calamos. Só o fim elimina todas as grandezas, desejos, vaidades, desculpas, máscaras, alegrias fugazes, desafios e problemas. Diante do limiar da morte todo o resto fica pequeno e a casca de noz volta para si, de onde, na verdade, nunca saiu, mas precisava percorrer todos os atos para entender que o resto sempre fora silêncio e o barulho foi permitido pelo próprio protagonista.

Voltando à pergunta axial: o que aprendi com *Hamlet*? Já que a peça termina com tantas mortes, há uma tentação em estabelecer a morte como o grande rito de passagem e aprendizado. Teria aprendido o sentido do fim ou alguma das densas filosofias do desgraçado dinamarquês? Teria *Hamlet* nos ensinado o uso da retórica e a ressignificação das chamadas "peças de vingança"? Ler a obra teria nos ensinado a lidar com o caráter efêmero de tudo e o inevitável fim, a vacuidade perene do mundo? *Hamlet* ensina a morrer como numa boa *vanitas*? Definitivamente, não!

A resposta mais direta é a mais sincera. Usemos uma navalha de Occam autêntica que foca no mais simples como o mais verdadeiro: com *Hamlet* nós aprendemos como viver. Ao longo da nossa mais pacata existência (em comparação com a corte de Elsinore) teremos de matar, simbolicamente, espero, muitas pessoas. Seremos ambíguos nos amores e nas amizades, alternando o sublime com o vulgar. Nossa existência acumula sacrifícios e muitos fantasmas que vagam sobre as muralhas. Talvez tenhamos um amigo verdadeiro como Horácio e talvez algum poderoso nos incomode pela estrada. Teremos de fingir muitas coisas para não causar tragédias, inclusive certa demência estratégica, surdez seletiva e até uma conveniente cegueira de quando em vez.

Todo o mundo é um teatro, parodiando outra peça do bardo. Já seria muito sábio não acreditar sempre na personagem que interpretamos, especialmente quando dizemos que somos sinceros e que estamos dizendo a verdade. Que nosso amor seja tão sincero quanto pode ser e nossos propósitos tão elevados como em nossos devaneios de grandeza. Já sabemos que o príncipe falou coisas que não ousamos enunciar e que, mentindo ou dizendo a verdade, errando e acertando, viveu cinco atos que iluminam muitas vidas. O resto? Você já sabe, é silêncio. Cai o pano, termina a peça. Aplaudam ou vaiem, retirem-se em silêncio mortal ou em debandada de desatinados. Nosso ódio e nosso amor são paixões. Ambos fazem parte de um jogo delicado que vai nos perseguir para sempre. No final, em décadas, seremos como as caveiras do último ato. Isso importa? O que de fato importa? Hamlet diria: o que você fizer até lá. Como você lida com sua noz e com o nós. O resto, de fato, é um imenso, denso e profundo silêncio.

Conclusões

Para encerrar, decidi separar a minha experiência da de minha colega e parceira Valderez Carneiro da Silva, que durante o processo de escrita foi tão fundamental para mim – tanto na reflexão sobre Hamlet quanto nos muitos elementos do texto que nasceram a partir dela. Foram concordâncias e diferenças, discussões prolongadas ao longo da prazerosa escrita que está se encerrando, trocas de livros, trocas de informações, correções e sugestões, num desafio fraterno e muito fértil. Valderez é tradutora e profunda conhecedora da língua inglesa, além de amante, há décadas, da obra de William Shakespeare. Eu sou um historiador focado em estudos sobre religião e o mundo moderno ao qual pertence o príncipe Hamlet. Aquilo que você leu até aqui foi resultado da união dessas duas pessoas, mas agora surge sua diferença final, rica, fruto de duas visões conclusivas distintas. Valderez envereda pelo realce às figuras femininas e usa do texto bíblico para iluminar a peça e exaltar o erro da vingança. Eu penetro na subjetividade da consciência e dos desafios da sociabilidade. Os leitores pacientes e generosos que aguentaram até aqui podem, agora, perceber como toda grande obra é signo aberto e possibilita a interpretação da Valderez, do Leandro, a sua e, provavelmente, uma outra ainda que seria a verdadeira, sempre por escrever e sempre à frente. Última lição que nós, autores e leitores, aprendemos: ler *Hamlet* reelabora nossos mundos e nossas concepções sobre o que somos, o que não devemos ser e aquilo a que aspiramos ser.

A felicidade numa casca de nós

Leandro Karnal

O título faz um jogo entre a casca de noz citada pelo príncipe e a nossa casca, pessoal, a casca de nós. Vamos seguir o "*mind's eye*", um olho da mente ou da consciência, expressão que existe no *Hamlet*.

Shakespeare tinha 36 para 37 anos quando terminou a peça *Hamlet*. Já era um escritor experimentado. A era elisabetana chegava ao final e, cerca de dois anos depois da estreia da peça, a dinastia Tudor terminava, em março de 1603.

As tragédias como *Júlio César* ou peças históricas como *Henrique V* tratam da constituição do poder e dissecam o cerne do funcionamento do Estado. Shakespeare é um animal político em todas as obras, mesmo em *Romeu e Julieta*, quando, tratando do amor de dois adolescentes, acaba trazendo o príncipe de Verona ao palco para fazer reflexões sobre ordem pública e o papel do Estado para apaziguar ânimos. *Hamlet* tem uma distinção: se o rei Henrique V tem características pessoais (como juventude) que acabam fazendo parte da trama política, em *Hamlet* o mundo interno acaba se refletindo no ordenamento do poder. A ambição e a luxúria geram um regicídio. O dever filial e ciúmes ressentidos sobre a figura materna geram vingança. Falsas amizades e excesso de retórica matam Rosencrantz, Guildenstern e Polônio. A cena final da peça é um evento político: Fortimbrás mandando homenagear Hamlet. Claro que pode existir debate sobre a afirmação seguinte, porém, se em *Júlio César* a política dirige as ambições, em *Hamlet* as ambições dirigem a política.

Subjetividade extrema: eu poderia ser feliz numa casca de noz. Como você já leu no livro que está se encerrando, o espaço exterior é irrelevante para nosso protagonista. O problema estava em harmonizar sua casca de noz como fechamento na sua própria consciência e a casca de nós, a cenografia e pompa do mundo. Toda a peça trata do choque entre noz e nós. A casca de noz é dura e preserva algo que muito se assemelha a um cérebro humano. Estamos preservados na noz da individualidade e nos nossos devaneios, desejos e reflexões. Aquilo que mais problematiza nossa casca é a convivência com os outros, as negociações, os abusos que Hamlet indica no monólogo. O mal do mundo dialoga com nosso próprio mal, somos também maus, como a personagem central diz mais de uma vez.

Harold Bloom diz que Hamlet é uma personagem moderna, na verdade a primeira, pois pode evoluir nas suas ações e falas ao longo de cinco atos. Como sabemos, após a malfadada viagem para a Inglaterra, Hamlet volta transformado, envelhecido e totalmente diferente da cena da sua tristeza em luto no primeiro ato.

Da noz a nós abundam nossos dramas e alegrias. O Eu vive na noz e quando tenta ser primeira ou terceira pessoa do plural (Nós, Eles) surgem dificuldades com outras cascas. Mesmo quem você mais ama lhe cansa eventualmente. Nunca podemos dizer sempre, de fato, o que pensamos dos outros. Temos de negociar com silêncios, pequenas e grandes mentiras, elogios que disfarçam nossa crítica e centenas de concessões para evitar a dureza da nossa casca esbarrando em casca alheia. Porém, não apenas sofremos no convívio do mundo, sofremos também com nossos fantasmas interiores, as angústias que carregamos com nós mesmos, recolhidos ao mais profundo silêncio e isolamento. E, por cima de tudo e de todos, o eterno silêncio do sentido, a bruma do entendimento e as resistências impenetráveis do Outro. Depois de dizer tudo, claro, o príncipe declara que será silêncio em todo o resto. Mais radical seria supor que o silêncio já tinha se iniciado no luto do primeiro ato e seu choque com as alegrias das bodas. Entre cantos fúnebres e celebrações de festas seguimos todos, junto ao príncipe Hamlet. Como nos movemos entre dor e júbilo registra a resposta do nosso próprio "ser ou não ser". Aprendi isso com Hamlet.

HAMLET EM POUCAS PALAVRAS

Valderez Carneiro da Silva

Tarefa quase ingrata, depois de tantos estudiosos de Shakespeare, particularmente da tragédia *Hamlet*, tentar safar-me com aforismos ou frases de efeito. O grande crítico Harold Bloom, mesmo após ter dedicado 57 páginas a *Hamlet* em seu monumental *Shakespeare: a invenção do humano*, escreveu ainda um outro livro, *Hamlet: poema ilimitado*, com 319 páginas, visando complementar o que, talvez, não lograra conseguir anteriormente. Se é verdade que "quando leio Shakespeare, não sou eu quem lê, mas é Shakespeare quem me lê", a cada leitura, principalmente de *Hamlet*, vou expandindo minha consciência graças à inteligência assombrosa do príncipe e descobrindo-me, revelando a mim mesma aspectos desconhecidos de meu eu.

Bem, voltando ao título que abre a página, vou fazer um trocadilho, valendo-me da expressão em inglês "*in a nutshell*", ou melhor, *Hamlet in a nutshell*, isto é, *Hamlet* em poucas palavras, (grande pretensão a minha), uma vez que esse é o significado de "*in a nutshell*" no original em inglês. Hamlet diz para Rosencrantz: "Oh, Deus, eu poderia viver preso numa casca de noz e me sentir um rei de espaços infinitos, se não fossem os maus sonhos que tenho." Hamlet e sua consciência ilimitada me ensinaram que, embora o príncipe fosse dotado de uma inteligência incomum, faltava a ele equilíbrio verdadeiro e sensibilidade empática em relação à sua mãe, Gertrudes, e à amada, Ofélia. Ele demonstrou ser juiz implacável. Parodiando I Coríntios 13, ainda que fosse brilhante intelectualmente, não teve caridade (amor) com a fraqueza da mãe, tampouco com a obediente namorada, Ofélia. Assim, sua consciência e sua inteligência eram, em verdade, parciais. Ele era prisioneiro de suas indecisões, de seus reflexos retardados. De que serve a luz se não conseguir iluminar caridosamente os seres amados? Ela simplesmente ofusca. De que serve o conhecimento se não ajudar o próximo a sair do labirinto, da caverna da ignorância? Ele confunde. Quem sabe estejamos inexoravelmente condenados à descomunicação, depois de Babel.

Ironia, ainda que Gertrudes não se destaque em termos intelectuais, ela é redimida pelo amor ao avisar o filho no final que não bebesse o vinho envenenado. A nobre Ofélia exibiu amor filial autêntico ao acatar o conselho do pai e afeto sincero a Hamlet ao desculpá-lo de sua agressividade e vulgaridade flagrantes. O vilão da peça, Cláudio, por amor, assumiu o crime sozinho para não atormentar sua "querida" e "doce" rainha, porém foi castigado, não conseguiu evitar que Gertrudes morresse. O feitiço virou contra o feiticeiro. Cláudio perdeu a coroa, a rainha e pagou com a vida pelos dois crimes, fratricídio e regicídio. Laertes, ao ser conivente com as artimanhas de Cláudio, não escapou da sabedoria de Ésquilo, dramaturgo grego, em sua *Trilogia de Orestes,* "com a espada você fez o trabalho (cometeu o delito) e com ela morreu", ou como diz Jesus em Mateus, capítulo 26, versículo 52: "Guarda tua espada no seu lugar, pois todos os que pegam a espada pela espada perecerão." Polônio, o ambicioso e bisbilhoteiro conselheiro real, pereceu vítima da própria armadilha para pegar o príncipe Hamlet no quarto da rainha. Guildenstern e Rosencrantz, os amigos falsos do príncipe, tentaram enganar Hamlet e fracassaram: morreram decapitados em lugar deste. O sábio Horácio foi o único que sobrou para contar a história trágica de Hamlet a Fortimbrás, príncipe da Noruega – este último recebeu o trono da Dinamarca "de mão beijada" e, provavelmente, sentiu-se compensado de ter perdido o pai pela espada do velho rei Hamlet.

A grande lição de Shakespeare apresentada em *Hamlet* é que o crime não compensa e a vingança é problemática. A sabedoria, quem sabe, esteja em Romanos 12,19: "Não façais justiça por vossa conta, caríssimos, mas dai lugar à ira, pois está escrito: A mim pertence a vingança, eu é que retribuirei, diz o Senhor."

Sucede que a tragédia *Hamlet* é o simulacro do teatro do mundo, todas as personagens estão tão envolvidas em seus papéis, veladas em suas personas, que o relacionamento entre elas somente acontece entre máscaras, sem a possibilidade de enxergar o outro em sua totalidade (afinal, ainda não conseguimos ler pensamentos). E mesmo uma consciência ilimitada como a do príncipe da Dinamarca, valendo-se apenas da razão fria, sem a calidez do amor, pode muito pouco. O perdão sugerido em Mt. 18,21-22, quando Pedro perguntou a Jesus quantas vezes deveria perdoar o próximo e recebeu como resposta "setenta vezes sete", é dádiva que aplaca ressentimentos e ofensas, mas, infelizmente, apanágio de apenas espíritos sublimes, desinteressados de vinganças e suas consequências. Hamlet e as outras personagens ainda não haviam atingido esse nível.

Aumentando a experiência hamletiana: textos e filmes

Falamos do texto do *Hamlet* e muitas conclusões possíveis. Falta o essencial: a peça em si. O texto original existe na internet em muitos sites, por exemplo: http://www.william-shakespeare.info/shakespeare-play-hamlet.htm. Também há edições impressas variadas para todos os bolsos. Se você domina bem o inglês, enfrente a aventura de ler o texto original. Lembre-se: Shakespeare é difícil para nativos também, como é para os brasileiros lerem um clássico do século XVI como Camões.

Se você domina um pouco do inglês e ainda possui dificuldades com a língua do período elisabetano, existe uma solução intermediária: edições com notas que atualizam as expressões e construções gramaticais daquele momento. É o caso da *Oxford School Shakespeare: Hamlet* (Oxford University Press, 1992). Em tais obras (há muitas outras no estilo) aprendemos em notas laterais que "*have after*" (Ato I, Cena 4) significa "vamos segui-lo" (*Let's follow him*) ou que o nome Roscius (Ato II, Cena 2) indica um famoso ator romano antigo. Essas edições ajudam muito ao leitor com inglês bom, mas ainda com dificuldades com o texto original ou erudição insuficiente para encarar *Hamlet* a seco.

Um começo bom é pensar numa tradução. Ela sempre revela muito a respeito do momento em que foi feita e quais os conceitos que eram vigentes em tal época. Vejamos alguns poucos exemplos.

1976 – *Hamlet*, publicado em São Paulo, 1ª edição da Abril Cultural, editor Victor Civita. A edição é ilustrada. Contém notas, informações sobre William Shakespeare e sua tragédia *Hamlet* feitas pelo tradutor Péricles Eugênio da Silva Ramos. Esta tradução foi utilizada por Sérgio Cardoso para inaugurar o Teatro Bela Vista, em São Paulo. A linguagem do texto é a norma culta, isto é, uma maneira de expressão da língua mais erudita, em outras palavras, mais formal, com o uso de pronomes de tratamento tu, vós, senhor, senhora para refletir a "época mais distante" e estabelecer o nível hierárquico das personagens. Nos trechos em que há palavras com duplo sentido, ou seja, termos que podem ser considerados obscenos, o tradutor faz uma observação nas notas e opta por eufemismos.

1984 – *Hamlet*, publicado no Rio de Janeiro, pela Editora JB. Contém introdução e notas feitas pelo tradutor da peça Geraldo de Carvalho Silos. A tradução em questão é bastante polêmica, foi muito criticada por aqueles que consideram William Shakespeare quase "intocável", um autor incensado, consagrado pela passagem dos séculos, portanto, consideram que o tradutor deveria evitar palavras de baixo calão (grosseiras ou obscenas). Silos ousa traduzir palavras de duplo sentido da época elisabetana de forma explícita. Convém lembrar que o tradutor fez pesquisa extensa para seu trabalho. Segundo críticos, as palavras chulas (vulgares) deveriam apenas ser insinuadas.

1989 – *Hamlet, príncipe da Dinamarca*, volume I. A peça faz parte da Biblioteca de Autores Universais – William Shakespeare. Obra Completa em três volumes publicada no Rio de Janeiro pela Editora Nova Aguilar S/A. Contém introdução geral, nota editorial, estudo crítico de C.J. Sisson, ensaio histórico, cronologia, nota introdutória e tradução de Oscar Mendes e sinopse, dados históricos e notas de rodapé em cada obra de F. Carlos de Almeida Cunha Medeiros. A coleção é ilustrada. Norma culta com o uso dos pronomes tu, vós, senhor e senhora. Expressões fortes são explicadas por meio de eufemismos em notas de rodapé, mas não explicitadas na tradução.

1995 – *Hamlet*, publicado no Rio de Janeiro pela editora Nova Fronteira. O volume contém, além de *Hamlet*, a peça *Macbeth*. Barbara Heliodora faz a introdução à 1ª edição de *Hamlet* em tradução (1968) de sua mãe, Anna Amélia de Queiroz Carneiro de Mendonça. A norma culta é empregada e o vocabulário usado pelas personagens é suavizado nos trechos mais pesados. Há até omissão de referências obscenas.

2015 – *A tragédia de Hamlet, príncipe da Dinamarca*, em 1ª edição e publicada em São Paulo pela Penguin Classics – Companhia das Letras. O volume contém introdução e tradução de Lawrence Flores Pereira e ensaio de T.S. Eliot. Linguagem atual, fluida. Uso dos pronomes tu, vós, você, senhor, senhora para indicar a hierarquia das personagens. Pereira insinua um vocabulário mais ousado. Não faz omissões, contorna, porém, diálogos mais fortes. Esta tradução é muito útil para pesquisadores e interessados na arte de traduzir na pós-modernidade.

2016 – *Hamlet*, em reimpressão de uma edição de fevereiro de 1997 publicada em Porto Alegre pela L&PM Pocket, volume 4. Contém uma introdução da editora e tradução de Millôr Fernandes. Graças à experiência do tradutor com o teatro, o texto é ágil, porém, também não usa expressões vulgares. Não há omissões. É uma versão muito utilizada para os palcos pelo seu dinamismo criativo.

2016 – *Hamlet* faz parte do "Teatro Completo – Tragédias e comédias sombrias" da Editora Nova Aguilar, publicado em São Paulo no volume I com tradução de Anna Amélia de Queiroz Carneiro de Mendonça e introdução à 1ª, 2ª e 3ª edições de Barbara Heliodora. Como passou muito tempo desde a primeira (mais de quarenta anos) Barbara fez algumas alterações nos pronomes de tratamento e em palavras e frases utilizadas por sua mãe. Uma frase pesada que havia sido omitida na edição de 1968 é traduzida, porém atenuada. Jiro Takahashi é o editor executivo da coleção, que foi a utilizada para citar *Hamlet* no nosso livro.

Há uma edição bilíngue de Elvio Funck, da editora Unisinos (2003). Edições com os textos em inglês e português lado a lado são excelentes para quem tem conhecimentos médios em inglês e quer comparar. No mesmo modelo, consulte também a tradução de John Milton, da editora Disal (2005).

Se você quiser saber o que aconteceu antes do assassinato do rei Hamlet, leia o romance de John Updike *Gertrudes e Cláudio*, publicado em São Paulo pela Companhia das Letras em 2001, em tradução excelente de Paulo Henriques Britto. No prefácio, Updike diz que se baseou na antiga lenda de Hamlet contada em latim na *Historia Danica* (*Gesta Danorum*), de Saxo Grammaticus, do século XII, que foi publicada em 1514 em Paris. Ele faz vários comentários elucidativos quanto às fontes consultadas. O livro é envolvente, prende a atenção do leitor até o fim, isto é, até a morte de Hamlet-pai e início do reinado de Cláudio.

Há também a possibilidade de leitura da adaptação da tragédia de *Hamlet* para livros em quadrinhos. Nas principais livrarias de São Paulo, você encontra vários, no formato de mangá em geral. Infelizmente, são em sua grande maioria em inglês. Se você for relativamente fluente na língua inglesa, dá para enfrentar. Achei uma tradução de *Hamlet* (mangá) de Adriana Kazue Sada, publicada em Porto Alegre na coleção L&PM Pocket, em 2014. A adaptação e as ilustrações são da equipe East Press. Se você não tem preconceito em ler obras clássicas em versão para quadrinhos, vai gostar. No mundo de imagens em que vivemos atualmente, é sempre uma iniciação que, talvez, leve a voos mais corajosos mais tarde. Boa sorte.

Até aqui falamos do texto. *Hamlet* é uma peça de teatro, ou seja, imagens, cenários, diálogos sendo vistos no palco. Sempre é bom ver montagens teatrais e, igualmente, filmes. A peça teve várias adaptações para o cinema, das quais escolhemos cinco. Convém frisar que ao ver *Hamlet* nas telas, não espere fidelidade completa, ou sequer fidelidade ao original. O que você verá é uma interpretação do diretor do filme para a tragédia. Um filme faz uso de vários recursos além dos verbais, como a escolha dos atores, o figurino das personagens, a seleção dos trechos a serem adaptados, tomadas de cena, o ângulo em que estas são feitas, o *traveling* das câmeras, o cenário, a iluminação etc. No caso de *Hamlet* pode haver ênfase em aspectos políticos ou não, familiares, ou opção por "leituras psicológicas" das personagens.

1948 – O *Hamlet* dirigido e interpretado por Sir Laurence Olivier recebeu o Oscar de melhor filme e o inglês ganhou também o Oscar como melhor ator. É considerado uma obra-prima em preto e branco. Alguns críticos, no entanto, acham-no quase um teatro filmado. Há poucos cenários, muito subir e descer de escadas e uma sucessão de arcos que evocam trabalhos do artista gráfico holandês Maurits Cornelis Escher (1898-1979) e conferem um certo mistério à trama, refletindo o interior enigmático da personagem Hamlet. Olivier foi muito influenciado por Freud, daí seu *Hamlet* focar na relação do príncipe com a mãe. A atriz escolhida pelo diretor para interpretar a rainha Gertrudes, Eileen Herlie, é bela, sensual e tinha trinta anos, dez a menos que ele, à época, um Hamlet um tanto quanto maduro para se fazer passar por um jovem universitário. A cena no quarto da rainha não deixa dúvidas quanto ao aspecto sexual pretendido, o beijo que Gertrudes dá no filho parece mais um beijo de amante do que de mãe.

1990 – Franco Zeffirelli lançou seu *Hamlet* com Mel Gibson como protagonista, famoso por ter feito papéis em filmes de ação. O Hamlet que aparece nas telas é um homem "malhado", belo, porém varonil, interessado não no trono da Dinamarca, mas em vingar quem usurpou o trono, seu tio, Cláudio, irmão de seu pai, o velho Hamlet. Gertrudes, a rainha, é vivida pela atriz Glenn Close, escolhida também pela juventude que transparece (era apenas alguns anos mais velha que Gibson). A ideia do diretor italiano era, à semelhança de Olivier, deixar entrever a fixação edipiana que o príncipe nutre pela mãe. O jogo de olhares trocados entre eles na cama, na cena do quarto, principalmente a interpretação quase sexual de Glenn Close e Mel Gibson, confere erotismo forte ao longo beijo selado entre as personagens e transparece uma relação incestuosa entre mãe e filho. A rainha Gertrudes e o rei Cláudio, nesse filme, estão visceralmente interessados na vivência do amor físico. Zeffirelli parece ter lido as versões anteriores ao *Hamlet* de Shakespeare, pois numa delas fica claro que Gertrudes e Cláudio já eram amantes antes da morte do velho Hamlet.

1996 – Kenneth Branagh dirigiu e atuou (tal como Sir Laurence Olivier) no filme *Hamlet*. Ele foi ousado e adaptou a tragédia na íntegra (quatro horas de duração). Só os fanáticos por Shakespeare resistem a tão longo filme. Ao contrário da versão de Zeffirelli, que era ambientada na Idade Média (condizente com a peça de Shakespeare), o diretor escolheu o século XIX como a época em que a história é contada. Os figurinos das personagens são ricos e coloridos, Hamlet aparece muito elegante em trajes negros que contrastam com a pele claríssima, os olhos azuis e os cabelos platinados de Branagh (Olivier também estava bem loiro para parecer mais novo no filme de 1948). Branagh dá um toque romântico na cena de casamento entre Cláudio e Gertrudes com uma chuva de pétalas de rosas caindo sobre os noivos. Ele parece gostar desse recurso, pois em outro filme seu, *Muito barulho por nada*, também baseado em obra de Shakespeare, o final é apoteótico com milhares de pétalas "molhando" todas as personagens. Outro dado interessante é que há a insinuação de que Ofélia e Hamlet são amantes, com a reminiscência deles em cenas de sexo na cama. É provável que pelas palavras cantadas por Ofélia quando enlouquece, "*No Dia de São Valentim, a donzela entrou no quarto do amado e donzela não saiu...*", Branagh entendesse que uma vez louca, a personagem tinha soltado a língua e revelado sua condição de não mais virgem. Nas demais versões discutidas, com exceção do *Hamlet* de Almereyda, Ofélia é pura e casta.

2000 – Michael Almereyda transportou a história de Hamlet para a Nova York do início do novo milênio. Em lugar de rei, o pai (Sam Shepard) do jovem Hamlet (Ethan Hawke) é o presidente de uma grande companhia, a Denmark Corporation, cujos status e cargo são ambicionados pelo irmão (Kyle MacLachlan), que o mata e casa-se com a viúva (Diane Venora). O fantasma do pai surge pela primeira vez na cama de Horácio (amigo fiel de Hamlet), onde sua namorada, Marcela, dormia (na peça original a sentinela que faz a ronda noturna é o soldado Marcelo). Hamlet depois vê o fantasma na sacada de seu quarto, ele entra e lhe revela a verdade de sua morte. Interessante observar que o fantasma parece bem vivo e não um espectro, chega até a abraçar efusivamente o filho. Hamlet tinha acabado de voltar da universidade onde cursa cinema, daí estar sempre envolvido com câmeras de vídeo e registrando tudo ao seu redor. Sua namorada, Ofélia (Julia Stiles), é uma fotógrafa amadora. Nesta versão de Almereyda há mais ênfase na ligação amorosa dos dois jovens, eles são namorados-amantes. Têm muito em comum, são extremamente solitários, introspectivos e atormentados. Parecem dominados pela melancolia. Após a morte do pai, Polônio (Bill Murray), Ofélia, enlouquecida, vaga pelos corredores do hotel levando fotografias de flores tiradas com máquina Polaroid em vez de flores reais. Ela morre afogada numa fonte em frente ao hotel Elsinore. A adaptação pós-moderna de Almereyda é instigante.

Para os interessados em análises mais profundas de algumas tragédias de Shakespeare (a saber: *Hamlet*, *Júlio César*, *Macbeth*, *Otelo*, *Rei Lear* e *Romeu e Julieta*) há a produção de 1997, lançada em DVD, cujo título é *Themes of Shakespeare* (Temas de Shakespeare). Com legendas em português, oferece um passeio inteligente pelas obras citadas acima. Especialistas do Shakespeare Institute de Stratford-upon-Avon e do Shakespeare Center comentam as peças e discutem seus aspectos importantes. Para ilustrar as observações, foram feitas encenações filmadas por atores da Stratford Company. É curioso ressaltar que o Hamlet apresentado é um ator loiro, bem jovem, o qual remete ao Hamlet original de Shakespeare, que no início da peça parece ser um universitário de 21, 22 anos e depois se descobre que já estava com quase trinta anos. Incongruência do bardo? Dizem que foi necessidade de adaptar o Hamlet à idade real do ator que fazia o papel.

Existe uma versão muito louvada e difícil de ser localizada: o *Hamlet* em russo. Foi feita em 1964, na URSS, dirigida por Grigori Kozintsev, e é considerada uma obra-prima por muitos especialistas. O ator Innokenty Smoktunovsky (de origem siberiana) ficou famoso por encarnar o dinamarquês. A tradução para o russo era do famoso autor de *Doutor Jivago* e Prêmio Nobel, Boris Pasternak.

Já o filme *Shakespeare In Love* (Shakespeare apaixonado), dirigido por John Madden (1998), é uma ficção quase completa e bonita, servindo bem para ilustrar um palco elisabetano.

O filme *Rosencrantz e Guildenstern estão mortos*, dirigido por Tom Stoppard, em 1990, é uma ideia muito boa: as cenas principais são filmadas a partir do ponto de vista das personagens secundárias.

Quando possível, assista ao *Hamlet* num palco. É uma peça muito frequente. Como tudo, você deve analisar e saber que o príncipe de Elsinore continua vivo, com muitas versões e sempre generoso com nossa percepção. Uma boa montagem emociona, uma montagem não tão boa ensina o que não deve ser feito: sempre aprendemos com Shakespeare.

Uma última sugestão: depois de assistir a qualquer um dos filmes propostos, que tal selecionar uma cena que tenha chamado sua atenção, encontrar o ato e a cena numa das traduções, ler com cuidado várias vezes e, em seguida, armar-se de coragem e ler a peça toda em português. Posteriormente, busque no original de Shakespeare o trecho destacado que o impressionou (se você já estiver num nível intermediário ou avançado de inglês). A vivência do dramaturgo britânico será gratificante e inesquecível. Aceita o desafio? O bardo está lá na peça há mais de quatrocentos anos. Ele não precisa de você, você precisa desesperadamente dele para compreender a trajetória do homem no teatro do mundo. Atenção, a cortina está se abrindo, o espetáculo vai começar.

Alguns livros citados

Harold Bloom
Shakespeare e a invenção do humano (Objetiva, 2000)
Hamlet: poema ilimitado (Objetiva, 2004)

Alberto Manguel
Uma história da leitura (Companhia das Letras, 1997)
O leitor como metáfora: o viajante, a torre e a traça (Edições Sesc, 2017)

John Updike
Gertrudes e Cláudio (Companhia das Letras, 2001)

Leandro Karnal
A detração. Breve ensaio sobre o maldizer (Unisinos, 2016)
O dilema do porco-espinho (Planeta, 2018)

Agradecimento

Agradecemos, do fundo do coração, a Luiz Estevam de Oliveira Fernandes. Ele colaborou de forma fundamental para o livro que você tem em mãos. Ele é uma mistura da fidelidade de Horácio com a inteligência de Hamlet. Duda, muito obrigado!

Em www.leyabrasil.com.br você tem acesso a novidades e conteúdo exclusivo. Visite o site e faça seu cadastro!

A LeYa Brasil também está presente em:

instagram.com/editoraleyabrasil

LeYa Brasil

ESTE LIVRO FOI COMPOSTO EM MINION PRO,

CORPO 12PT, PARA A EDITORA LEYA BRASIL.